D0168336

On s’aimera

Du même auteur
au **cherche midi**

Les Amoureuses, 2012.

Chez d'autres éditeurs

Mes ailes, Michel Lafon, 2007.
Marcella, Calmann-Lévy, 1990.

Clémentine Célarié

On s'aimera

ROMAN

Vous aimez les romans ? Inscrivez-vous à notre newsletter
pour suivre en avant-première toutes nos actualités :
www.cherche-midi.com

Couverture : Mickaël Cunha

23, rue du Cherche-Midi
75006 Paris

L'oiseau migrateur part vers le sud. En plein vol il traverse une zone épaisse de nuages qui freinent sa vitesse. Intrigué, il perd de l'altitude, pour observer ce qui se passe au-dessous, et ralentit son allure, béat devant ce ballet de flocons blancs.

« Le ciel pleure des larmes de neige », se dit-il, fouetté par les petits grains d'ouate glacée qui tombent en avalanche sur la ville. Tout est dessiné par le blanc, recouvert, transformé, purifié. C'est d'une telle beauté que l'explorateur agite ses ailes pour dégager son champ de vision et ne pas en perdre une miette.

Fondu dans le ciel tourmenté, il s'approche pour observer le spectacle. Les oreilles armées d'un casque discret, les bipèdes marchent, formant des couloirs mouvants, et parlent sans relâche. Le planeur sourit à la vue de ces fourmis humaines appareillées d'oreillettes, qui semblent parler toutes seules. Les humains sont si bavards...

Dans la masse de l'agglomération qui blanchit, les toits s'épaississent, les trottoirs disparaissent, les voitures tentent d'avancer dans la glu blanche qui les freine.

Se lassant de ce ballet ronronnant et sans surprise, l'oiseau prend de l'altitude d'un grand battement d'ailes.

Les montagnes qui encerclent la ville se mélangent les unes aux autres, lissées par l'écran trouble. Une voix attire l'attention du voyageur. Une fréquence inhabituelle semble percer d'un endroit isolé, hors du cœur grouillant de la ville. Il s'approche, curieux de savoir d'où viennent ces vibrations.

Une maison encore visible sous la couverture blanche abrite la voix d'une femme noire qui résonne dans une grande pièce. La chaleur douce des notes réchauffe l'oiseau. Il s'attarde sur cette image magique. Il écoute, envoûté, la voix flottante qui plane en souffle brûlant du désert.

Seul spectateur de cette chanteuse exceptionnelle, l'oiseau observe à travers le rideau de pluie neigeuse cette femme noire à la peau de bois qui regarde au-dehors. Elle semble sourire à l'animal et chante plus fort. L'oiseau lui rend son sourire par un petit cri. La femme rit et agite la main vers son nouveau compagnon volant. Ballotté comme un sac par la tempête, il pousse un dernier cri avant de disparaître dans les airs, heureux de se laisser porter, parfois si loin, dans les bras du ciel qui célèbrent sa liberté. Il salue les arbres qui croulent sous le poids du manteau blanc, les animaux, les nuages assortis de nuances argent. Il voudrait les embrasser pour ce cadeau d'un paysage sans cesse renouvelé.

L'oiseau ivre danse dans le blanc céleste qui semble s'acharner et attaquer la terre. La danse tourbillonnante caresse la nature d'un tissu éphémère. Un manteau friable d'une blancheur éternelle habille chaque contour, une robe de beauté sur mesure orne la reine nature. Ce soir, le bal est exceptionnel. L'oiseau se fond dans la danse des flocons, alors que le noir de la nuit perce et s'étale comme une tache d'encre. Emporté par les violentes vagues du ciel, il disparaît dans les nuages sombres.

Matin

L'enfant se réveille en sursaut. Il s'est redressé dans son lit et sort d'un rêve étrange, qu'il fait souvent. Il a encore vu cet oiseau immense comme un avion auprès duquel il volait lui aussi. Il sourit et se rallonge en fermant les yeux pour tenter de rattraper son rêve.

Dans une pièce voisine, un homme dort profondément, allongé sur le cuir luisant d'un canapé. Sa chemise froissée gris perle affiche « J.-P. » en lettres blanches brodées sur sa poitrine.

Il fait sombre, mais un fin rai de lumière perce le vasistas du toit tel un laser blanc surréaliste et éclaire son visage. Chatouillé par le point de chaleur, il remue légèrement et se rendort. Soudain, un bruit sourd très violent assomme littéralement le plafond et les murs de la pièce. Quelque chose de lourd semble résonner du dehors. J.-P. sursaute et pousse un cri de frayeur en se redressant comme un ressort, faisant tomber l'ordinateur calé sur son ventre. « Et merde ! » Puis, comme par magie, la fine lame tranchant la pénombre disparaît et plonge la pièce dans un noir total.

« Mais… il est quelle heure ?… »

Il regarde sa montre clinquante, qui brille de ses « 09 h 07 ».

« Quoi ?! Pourquoi mon réveil a pas sonné ? »

La tête en vrac, il tâtonne vers la table de nuit pour trouver le coupable électrique, aidé par la lueur d'une lampe assez puissante incorporée à sa montre de luxe. Il fixe le réveil et le secoue, puis agite l'interrupteur de sa lampe de chevet, qui ne répond pas.

« Les plombs ont sauté... Merde, je suis en retard ! »

Le corps engourdi, il se lève et sort de son bureau en s'éclairant de sa montre. Dans le couloir sombre de la maison encore endormie, J.-P. appuie à tout hasard sur un interrupteur, mais il n'y a toujours pas de courant. Il marche de plus en plus vite et gagne l'escalier, puis le living en bas. Le noir est presque total.

La guirlande rougeoyante des appareils, d'habitude en veille, est éteinte. Le feu ne bouge plus. Il ne fait pas vraiment froid, l'air semble suspendu. L'homme traverse la grande pièce en se cognant et se dirige vers le garage, armé de son faisceau lumineux de chercheur d'or. Il s'approche du compteur, ouvre la petite porte qui le protège, actionne le bouton rouge pour le faire redémarrer. Mais rien ne se passe. Il essaie à nouveau, puis encore et encore. Rien.

Il ressort du garage et allume tous les interrupteurs, comme s'ils allaient répondre à son acharnement par magie. Il ouvre le grand rideau de velours moutarde de la baie vitrée et tombe sur le store baissé qu'il tente de soulever avec la télécommande. En vain. Il rit nerveusement.

« Qu'est-ce que c'est que cette connerie ?

– Mirette ?... » crie le petit garçon déboulant tout joyeux. On va pas à l'école ! On va faire des jeux !... »

Il s'arrête net quand il voit la silhouette de son père, qui le regarde, morose. Les deux êtres s'observent, le père braque son faisceau lumineux sur le petit qui disparaît aussitôt.

L'homme monte les marches tout en composant des numéros sur son téléphone, mais il n'y a pas de réseau. Il se dirige vers une chambre dont la porte est ouverte et entre. Son fils est agenouillé sur son lit, le nez collé à sa fenêtre. On ne voit plus rien à travers le carreau, que de la neige qui forme un écran blanc.

« Je vais pas aller à l'école, hein ? » demande le petit.

Le père regarde la fenêtre comme s'il avait une hallucination. Il rit encore.

« Mais qu'est-ce que c'est que ça ? marmonne-t-il d'une voix blanche et caverneuse.

– Ben, de la neige !... crie l'enfant. C'est génial, je l'ai vue tomber, cette nuit !... Tu crois que... Qu'est-ce que ça va faire si on ouvre la fenêtre, ça va rentrer dans la maison ?... On l'ouvre ?

– Mais qu'est-ce que c'est que ce bordel ? » dit le père en ressortant de la chambre, nerveux.

Le petit se dirige doucement vers la porte et le suit en secret, comme un petit chien. Tous les deux sont redescendus et l'atmosphère fraîche pousse J.-P. à enfiler un manteau. Il amorce le geste d'ouvrir la porte d'entrée après avoir débloqué les verrous. Il tire avec précaution, craignant de libérer une masse de neige qui se vautrerait dans la maison, mais ça résiste, comme si la porte était collée par le froid. Il agrippe et tire la poignée de toutes ses forces. Le petit garçon, tapi dans un coin, est aux anges et trépigne. La porte lâche d'un seul coup, révélant un mur de neige glacée qui remplit toute l'ouverture, ne laissant passer aucune lumière. J.-P. est tombé sur les fesses, dans l'effort.

Le petit rigole, saute, applaudit, ne pouvant contenir sa joie.

« On va pas à l'école !... On va pas à l'école ! »

Le père reste bouche pendante.

« Mais ho !... C'est une blague ou quoi ?...

– Je vais faire un feu ?... Je vais faire un feu ! » hurle l'enfant.

L'homme, congelé d'un seul coup, reste bloqué, contaminé par ce mur blanc obstruant la porte. Le petit s'agite encore.

« Je peux faire le feu, aujourd'hui ?... C'est comme l'autre fois, et que la neige, elle était jusqu'à nos genoux, et que moi je pouvais être tout recouvert, et on n'a pas été à l'école... Je peux faire le feu ? »

Le père, complètement ailleurs, articule à peine :

« Oui... Non... ça va tout saloper.

– C'est Mirette qui m'a appris... Allez !... Rien qu'une fois !...

– Arrête ! Tu me saoules... »

Le petit ne bouge plus.

« Il y a des bougies quelque part ? » demande J.-P. en se relevant lourdement pour se laisser tomber, sonné, sur le canapé.

Il pianote sur son téléphone pour trouver du réseau. Le petit court vers un placard du living.

« Mirette les met là !... »

Il sort un paquet de chauffe-plats qu'il apporte à son père et allume les petits ronds de cire un à un, précautionneusement, après avoir demandé avec ses yeux s'il avait le droit de faire craquer les allumettes. Comme son père ne l'a pas vu, le petit n'ose plus rien dire et attend. Il sent que son corps tremble un peu, mais essaie de le tenir tout à fait immobile pour ne pas fâcher l'autorité paternelle, qui a l'air de mauvaise humeur.

« Couvre-toi si t'as froid.

– Mais j'ai pas froid, répond l'enfant le plus gentiment possible. C'est parce que je suis content, marmonne-t-il tout bas.

– T'es content, toi ? grogne l'homme sans le regarder, tripotant toujours son téléphone. Forcément, tu bosses pas, t'es peinard... »

Ses yeux fixent la porte, scrutent la pièce. Le petit ne l'a vu comme ça que quand il est très en colère contre sa mère, ou au téléphone. Son père gigote comme un lion en cage, il marche et tourne autour de la cheminée centrale, gamberge, observe encore le mur de glace qui trône, insolent, dans l'encadrement de la porte.

« C'est une blague, c'est pas possible ! Et le contrat, tout ce qu'on devait signer aujourd'hui, comment je vais faire, moi ? Il faut absolument que je voie le maire, il nous faut ce terrain, on était dessus, on l'avait. Je peux pas sortir d'ici pour signer, c'est un piège, c'est un canular... C'est quand même pas les petits vieux qui vont décrocher ce terrain de rêve à cause d'une histoire de neige... De toute façon, c'est un cas de force majeure ! Et puis j'ai le maire dans la poche. Il faudrait quand même que je puisse lui téléphoner, merde... »

« Il est marrant, mon père, pense Mathieu, on dirait un homme préhistorique qui parle tout seul, avec les bougies qui projettent son ombre mouvante sur les murs. »

Soudain, l'ombre s'arrête. Le père s'est immobilisé et se prend la tête dans les mains.

« Bon, je sais pas pourquoi je m'affole comme ça, c'est pas la fin du monde, se dit-il à lui-même, sans se préoccuper de son fils qui l'observe. Ils l'avaient annoncé, ça va fondre, les autres doivent être aussi bloqués que moi… Il faut que je bosse… »

Revenu à lui, il prend quelques bougies.

« Toi, tu retournes dans ta chambre et tu joues, OK ? Ou tu fais tes devoirs… Enfin, tu fais ce que tu veux, dit-il en montant les escaliers en marbre, suivi par le petit. T'as pris des bougies ?

– Non…

– Ben prends-en.

– Oui… »

J.-P. passe la porte de son bureau et la claque au nez de son fils. L'enfant repart tout seul et redescend l'escalier dans une pénombre épaisse, se guidant avec la rampe plaquée or. Il tâtonne vers le paquet de bougies, en prend quelques-unes, file dans la cuisine chercher des allumettes en fredonnant la chanson de Mirette, celle qu'elle entonnait hier soir en préparant le repas avant de partir. Puis il remonte à l'étage. Sur le chemin de sa chambre, il épie ce qui peut bien se passer dans le bureau de son père en collant son oreille contre la porte. Ce n'est pas comme d'habitude. Il n'entend rien, pas même la grosse voix qui d'ordinaire parle sans discontinuer, animant des conversations dont il ne saisit pas le sens, avec des mots qu'il ne comprend pas. Cette fois, c'est le calme plat. C'est normal, il n'y a plus de réseau. Le petit se décolle de la porte-frontière et disparaît dans sa chambre.

Il allume deux bougies qu'il pose attentivement sur sa table de nuit, prend le livre que Mirette lui a raconté hier soir et le dévore en chuchotant à la lueur dorée des flammes protectrices et chaleureuses. Une fois l'histoire finie, il entame un autre livre, puis un autre, puis un autre, et épuise quasiment toute sa collection.

Arrivé au bout de ses lectures, il regarde autour de lui et semble perdu, d'un seul coup.

Ce moment ressemble à hier soir et pourtant ce n'est pas possible, puisqu'il s'est réveillé il y a peu de temps.

« Vous voulez que je vous avance jusqu'à la route principale ? » avait proposé son père à Mirette, la veille.

Pourquoi avait-elle refusé ?

« Non, vraiment, merci, monsieur, la neige ne me gêne pas du tout, vous le savez bien. Au contraire.

– Vous ne voulez pas dormir dans votre chambre, à l'annexe ?

– Non, monsieur, mes enfants m'attendent.

– Oui oui, je sais », avait répondu J.-P.

Mathieu avait tout fait pour la retenir.

« Allez Mirette, dors ici, s'il te plaît ! Dors ici ! Tu vas pas partir maintenant ? On a pas fini l'histoire ! »

Mirette s'était assise sur le bord du lit de Mathieu et avait sorti une petite boîte de sa poche.

« Tiens, c'est pour toi, avait-elle dit. Ça sera ta boîte à trésors... À l'intérieur, il y a plein de phrases toutes petites. Tu en prends une et tu te racontes une histoire à partir de celle qu'on a piochée... Tu la mets sous ton oreiller et, quand tu n'arrives pas à dormir, tu prends le petit papier et tu imagines que, toi et moi, on le lit et qu'on raconte l'histoire ensemble... Tu me diras le lendemain ce que c'était. À force d'imaginer beaucoup de choses, peut-être qu'un jour elles se réaliseront... Tu comprends ? avait dit Mirette avec sa voix de conte de fées. Par exemple, regarde... Tire une phrase au hasard. »

Mathieu avait lu :

« "Celui qui a planté un arbre avant de mourir n'a pas vécu inutilement." Comment on fait, maintenant ? On doit dire quoi après ? avait-il demandé.

– Eh bien, tu racontes l'histoire qui te vient. Qu'est-ce qui te vient ?

– Euh... Un monsieur qui est malade, il va mourir. Et... Il y a un arbre dans son jardin, alors il est content. Parce que... L'arbre est très grand et il le voit par sa fenêtre. Il lui parle... Et quand il est triste, il imagine que ses enfants et ses petits-enfants profiteront de ses branches. Pour toujours. Grâce à lui. Parce qu'il l'a planté. L'arbre protégera sa famille.

– Oui... Voilà, avait dit Mirette avec son sourire en feu d'artifice.

– Et puis quand il meurt, il voit encore sa famille. Il la voit grâce à l'arbre... Il la voit parce que l'arbre il est comme ses yeux... »

Mirette l'avait regardé avec tant de douceur, on aurait dit qu'elle avait du miel dans ses pupilles.

« On en prend une autre que tu me racontes en vrai ! S'il te plaît, Mirette ! »

Mirette avait fait la moue, mais Mathieu savait qu'elle ne pouvait pas lui résister, et elle avait pioché un autre papier :

« "Si vous nagez dans le bonheur, soyez prudent, restez là où vous avez pied." Ah... avait-elle dit.

– Quoi ?

– Est-ce que tu es heureux? avait demandé Mirette.

– Avec toi, oui.

– Bon. Eh bien, si tu me demandes trop souvent de rester toujours plus tard, alors que tu sais qu'il faut que je rentre, un jour, je ne pourrai plus être là du tout!

– C'est nul! Pourquoi tu dis ça?

– Parce que tu me manges, petit Blanc cannibale!» avait-elle dit en chatouillant Mathieu.

Était-ce un présage de ce qui arrive aujourd'hui?

Parfois, Mirette parlait de choses qui, plus tard, se réalisaient vraiment.

Mathieu fait un geste comme pour chasser des mouches invisibles, porteuses de mauvaises pensées. Ça lui fait mal au cœur, et les larmes viennent au bord de ses yeux d'un seul coup. Il se donne une tape sur la joue et saisit la petite boîte à histoires, pour commencer tout seul le jeu : «Le mensonge donne des fleurs, mais pas des fruits.» Le petit reste songeur en scrutant son bout de papier, les sourcils froncés, puis il passe à une autre phrase : «La langue qui fourche fait plus de mal que le pied qui trébuche.» Il fait une moue de découragement, ne saisissant pas vraiment le sens des choses qu'il lit.

«Mirette, reviens... Pourquoi t'es partie, hier soir?»

Il tourne dans son lit, réfrène ses larmes, qu'il sent assaillir ses yeux comme un torrent, en fermant très fort ses paupières. Il se tapote la tête, les bras, le torse, le ventre et tout le corps, en chantant sur ses percussions corporelles faites maison. Saoulé par lui-même, l'enfant s'arrête et rêvasse. Le réveil mécanique offert par Mirette indique 10 h 34.

Mathieu se lève, enfile ses petits chaussons et décide d'aller faire un tour d'observation. Il joue au gardien qui fait sa ronde. Dans le couloir sombre, toutes les portes des chambres de son frère, sa sœur et sa mère sont fermées. Son ventre gargouille, il descend dans la cuisine. Éclairé par une bougie, il ouvre le réfrigérateur, prend un yaourt et pioche une banane dans la belle corbeille en faïence. Il tente d'écraser le fruit, copiant Mirette quand elle lui fait sa bouillie magique, tous les jours, au goûter. Mais la fourchette ripe et fait tomber l'assiette, qui se casse bruyamment sur le carrelage. Le cœur de Mathieu bat, craintif d'une descente colérique de son père, mais rien ne se passe. Il est presque déçu et impatient de remonter, vu le calme pesant, d'habitude empli de la chaleur de Mirette, de ses chants et de ses rires.

Il gravit les marches, armé de cornflakes trempés dans un bol de lait.

Arrivé dans sa chambre, il plonge dans son lit encore tiède et dessine ce qu'il imagine du paysage, dehors. Son trait précis révèle très vite sur la page blanche les vallons aperçus lorsqu'il rentrait de l'école la veille avec sa mère, tranchés d'une route sinueuse, elle-même bordée des petites baraques de pierre qui entourent la grande demeure familiale.

Il adore ce parcours quotidien. À la fin de la journée, l'école finie, même quand sa mère est en retard, il commence son chemin du retour en marchant. Parfois, la nuit tombe, mais le petit adore avancer dans la neige. Sa mère arrive en voiture, il bondit dedans et, comme elle est inévitablement au téléphone, il profite du trajet dans son coin, à l'arrière. Il le connaît dans ses moindres détails, depuis presque un an qu'il l'observe pour rejoindre leur très grande maison là-haut dans la montagne. Toujours branchée sur ses oreillettes, sa mère ne lui adresse jamais la parole, et il a eu tout le temps d'apprendre la route par cœur. Elle est parsemée de surprises, qui changent chaque jour. Parfois, il croise un dragon formé par des touches de couleur qui dessinent un rocher différent de la veille. D'autres fois, il voit des elfes cachés sous des grottes fondues dans les buissons. Il lui arrive aussi d'apercevoir des écureuils ou des renards. Dans le ciel, il décèle des créatures mouvantes, des monstres blancs formés par les nuages, des têtes barbues, des oiseaux qui se mélangent avec la pâleur douce de l'immensité céleste. Ce sont peut-être ceux de son rêve répété.

On comprend, dans les traits fins du dessin, que tout est couvert de crème blanche : la neige, qu'il représente par des flocons plus gros que la réalité, sortes de bulles qui s'échapperaient du paysage plutôt que de tomber. Sa concentration ne l'empêche pas de guetter le moindre bruit qui se manifesterait dans le couloir et trahirait un mouvement, une vie, une présence.

Soudain, vers midi, il sent un léger frottement sur le sol et se lève sans bruit pour aller voir sans être vu. C'est sa sœur Vanessa qui marche dans le couloir, et se dirige avec la lumière de son téléphone vers l'escalier d'un pas mou encore endormi. Mathieu regarde d'abord par l'entrebâillement de sa porte entrouverte et la suit. Elle descend les marches froides, à pas de chat. Le guetteur reste en haut et scrute les moindres mouvements de la jeune fille, qui va dans la cuisine en marmonnant quelque chose qu'il n'entend pas. Il ne la lâche pas des yeux dans l'épaisse pénombre, cette sœur toujours enfermée dans sa chambre, qu'il ne voit jamais, avec ses longs cheveux blonds qui lui font penser à des algues en or. Il aimerait bien lui parler mais n'ose pas : elle porte un casque et préfère sa musique. Elle tente d'allumer la lumière sans succès, ouvre le réfrigérateur, le fouille de son écran lumineux de smartphone et se sert un verre de jus d'orange. Elle étale du Nutella sur des petits pains, puis aperçoit la porte d'entrée ouverte sur le mur de glace blanc.

« Oh, la vache ! articule-t-elle la bouche pleine, c'est canon...

– C'est une tempête, marmonne le gardien des lieux du haut de l'escalier, penché sur la rambarde comme un concierge.

– Hé tu m'as fait peur, putain ! T'es con ! Préviens quand t'es là !

– Pardon.

– Ouais... Bon, j'vais me recoucher tranquille... Oh, le pied », baragouine l'ombre lointaine en terminant de mâchouiller son semblant de petit déjeuner.

Mathieu la regarde remonter avec un autre verre de jus d'orange et deux bougies. Elle passe devant lui comme un fantôme et disparaît dans l'obscurité. Le petit la suit quelques secondes et retourne dans sa chambre. Il trépigne en regardant par la fenêtre blanche, à travers laquelle il ne voit que de la glace. Il tente de l'ouvrir mais n'a pas assez de force. Elle est collée. Il continue de dessiner. Les traits représentent un vélo dans la neige qui tombe en gros ballons flottants. Sur le vélo, un corps recouvert d'un bonnet et d'un gros manteau rouge. Mathieu sourit. Il se met à parler dans une langue étrangère qui ressemble à un dialecte africain, en regardant au plafond, comme s'il s'adressait à quelqu'un, là-haut. Mirette l'avait fait hier soir, en partant sur son vélo : elle avait crié des choses au ciel.

« Ça va maintenant ! Tu en as assez fait ! Non ? Pourquoi tu nous nargues comme ça ! J'ai besoin de rentrer chez moi, alors arrête ! Arrête de tomber ! »

Mathieu l'avait regardée partir, comme tous les soirs, debout sur son lit. Il l'avait guettée, perdue dans la neige, zigzaguant sur son vélo, perdant l'équilibre. Il riait tout seul et la buée sur le carreau rendait l'image trouble. Elle ressemblait à un gros ballon rouge qui dansait dans les flocons. Il observait toujours Mirette qui s'agitait jusqu'à ce qu'elle devienne un petit point si minuscule qu'elle se fondait dans les arbres. Elle se retournait toujours avant de disparaître, et Mathieu hurlait « À demain ! » C'était le premier matin, depuis que Mathieu était né, que Mirette était absente sans que ce soit prévu.

Interrompu dans son inquiétude par un autre bruit qui frémit dans le couloir, l'enfant bondit de son lit et opère comme il l'a fait avec sa sœur tout à l'heure, en espion éclaireur. Il suit son frère Samuel qui traîne la patte, son casque sur les oreilles, sûr de ne pas être entendu. Le petit reste là-haut, dans sa guérite, en gardien des allées et venues. La silhouette de son frère, fondue dans la pénombre, guidée elle aussi par son téléphone éclaireur, descend les escaliers, ondulant comme un marshmallow fondant, dégoulinant à chaque marche. Ce frère, qu'il ne croise quasiment jamais, se reconnaît au son de ses pieds qui traînent et à l'odeur qui s'échappe de lui. Une espèce de senteur de brûlé ou de foin, Mathieu ne sait pas trop. Il sait simplement que son frère fume beaucoup. Samuel, tout mou, ne remarque rien de spécial en bas, même pas la panne de courant, qui pourtant se trahit à la lumière absente du réfrigérateur et de toute la maison. Il prend un énorme morceau du gâteau de Mirette, s'empiffre, se ressert une autre part, boit du lait à même la bouteille, puis remonte, son gâteau dans la main droite et son téléphone-guide dans la gauche. Le petit éclaireur n'a rien dit, bien caché, et laisse son frère disparaître à son tour dans sa chambre. Il retourne dans son lit et reprend son portrait de Mirette dans la neige, en fredonnant toujours l'air qu'elle chantait la veille.

Une femme allongée sous une descente de lit panthère remue imperceptiblement et soulève un masque de ses yeux, encore pleins de mauvais sommeil. Elle regarde l'heure, remarque l'écran noir de son réveil électrique de luxe, tâtonne sur sa table de nuit, attrape sa montre et lit 12 h 56.

« Mais pourquoi j'ai dormi comme ça ? Qu'est-ce qui se passe ? Pourquoi personne ne m'a réveillée ? C'est pas possible ! »

Elle bondit hors de son lit et harponne son iPhone.

« On se les gèle, dans cette maison ! » grogne-t-elle en tapotant sur les touches muettes. Puis elle décroche de ses mains french-manucurées le téléphone intérieur : « Allô ? » N'obtenant aucune réponse, elle secoue la touche de raccrochage plusieurs fois, et enfile ses mules de velours et son peignoir de soie or. En sortant, elle dépose sur ses épaules une fine étole en cachemire couleur camel. Elle se passe machinalement la main dans les cheveux, semblant de recoiffage, et va dans le couloir en direction du bureau de J.-P., son téléphone pointé devant elle en guise de lampe de poche. Mathieu tend l'oreille, retourné à son poste de garde dans l'entrebâillement de sa porte.

La femme toque à la porte.

« Oui ! répond J.-P.

– Pourquoi personne ne m'a réveillée ?

– Ben, parce que personne ne s'est réveillé !

– C'est une panne générale ? demande-t-elle.

– Oui ! On peut pas sortir, on attend que ça fonde !

– Pourquoi aujourd'hui ? Ça ne pouvait pas attendre ? Il fallait pas déménager ici, on est loin de tout ! Saloperie de neige ! » aboie-t-elle en retournant dans sa chambre, claquant la porte, se recouchant après avoir tenté un Nespresso sur la machine inerte. Couverte de sa fourrure, elle pianote sur son iPhone.

« Évidemment, ça marche pas. Il faut que je prévienne Charles, moi... Oh, pfff, ça attendra... »

La femme s'applique à respirer lentement pour se calmer. Un sourire se dessine sur son visage encore froissé.

« Mmhh, c'est bon de traîner au lit, excellent pour moi. Je vais me faire une journée sabbatique du tonnerre... Je suis si fatiguée... »

Et, caressant la soie délicate de son peignoir, elle se glisse entière sous ses poils de bête, se délectant du sommeil imprévu et finalement bienvenu dans lequel elle se laisse emporter. Elle reportera son lifting...

Le visage de l'endormie se détend. Il est étrangement lisse pour son âge. La petite « tirette » qui devait avoir lieu aujourd'hui, un petit « réglage », comme le dit si élégamment son chirurgien, Charles, se fera demain. Il est toujours arrangeant, ce magicien de beauté qu'elle connaît maintenant si bien. Depuis le temps qu'elle le livre à ses talents de docteur en rajeunissement, son visage de jeune fille de cinquante ans est parfait et pulpé, juché sur un cou tiré, autour duquel un bijou en or révèle « Pam » en lettres diamantées.

Mathieu dort sur son dessin.

La maison sommeille. Le réveil mécanique du petit bat son rythme de machine à indiquer le temps. Il est 17 heures. Mais le ventre de Mathieu est réveillé et demande instamment qu'on s'occupe de lui. L'enfant met ses pantoufles et sort de sa chambre. Il entend des bruits qui viennent d'en bas et qui le réjouissent. Souriant, il active le pas. Son père mange dans la cuisine. Il hésite à descendre, de peur de se faire engueuler, et reste là-haut dans sa tour de contrôle, au sommet des marches.

« T'as faim ? demande le père, qui a détecté la présence de son fils. Y a pas grand-chose, mais tu peux manger du jambon, du fromage et du pain. Je te laisse ça dehors.

– Oui. Merci... répond Mathieu.

– Moi, je retourne travailler. T'as fait tes devoirs ?

– Euh, oui, dit l'enfant, qui n'est pas un bon menteur, mais prend la décision secrète et sincère de faire son travail dès qu'il sera remonté dans son domaine.

– Demain ça aura fondu. Ils auront déblayé et t'iras à l'école... Tu me prêteras ton réveil pour que je me retrouve pas comme ce matin.

– Oui, répond Mathieu. Je te l'apporterai dans ton bur...

– Non, je vais le récupérer tout de suite. Il est sur ta table de nuit ?

– Oui, dit Mathieu.

– OK. Bon, ben, amuse-toi, profite ! T'as tes jeux ? Ta console ? Hein ? Alors vas-y ! Joue ! Tu pourras plus, quand t'auras mon âge... t'auras que des emmerdes ! » lance J.-P. en remontant les marches.

Mathieu, s'éclairant d'une bougie, prend un plateau sur lequel il pose une assiette ornée d'un nouveau morceau du gâteau magique, un verre de lait, un petit paquet de chips, une tranche de jambon. Il regarde le Coca, hésite à en attraper une canette, devinant le visage de Mirette qui lui fait « t-t-t-t, c'est pas bon pour toi » avec son doigt. Il laisse le poison sur son étagère froide et referme la porte.

Remonté dans sa chambre, il regarde autour de lui en dévorant son gâteau.

« On a pas dansé aujourd'hui... On danse ? Cinq minutes ? Allez ! avait supplié Mathieu hier soir, et Mirette avait cédé.

– Ah ! Tu vois que tu me manges, toi ! Tu me manges ! Je ne peux jamais te dire non », avait-elle crié en riant.

Électrisé par ce souvenir tout frais, encore chaud comme une brioche sortie du four, Mathieu bondit de son lit. Il sort son iPad de son bureau et appuie sur « Play », ce qui déclenche immédiatement des sauts et déhanchements déchaînés. Comme la veille, avec Mirette. Il tape sur son corps pour faire des percussions, comme elle lui a appris. Tous les soirs, ils chantent et tapent des pieds et des mains partout où ils peuvent sur la musique qui sort de la machine plate, et la chambre de Mathieu devient un immense instrument à percussion. Les sons tourbillonnent dans la pièce avec une énergie contagieuse et galvanisante. Mirette semble être là... Comme hier.

« Pourquoi elle est pas noire comme toi, Pam ? »

Mathieu aime bien lui demander tout ce qui lui passe par la tête. Et Mirette rit en remuant tout son corps au rythme endiablé.

« Je lui mettrai un peu de cirage ! Et ne l'appelle pas comme ça. Pam ! C'est ta maman... Bon, c'est fini, tu éteins, mon chéri. Maintenant, il faut dormir. »

Juste avant que Mirette ne parte, le petit avait dansé et sauté comme un diable sur son lit, puis, après quelques rebonds façon trampoline, il s'était engouffré sous sa couette en faisant celui qui dort profondément d'un seul coup, figé. Le rituel voulait alors que Mirette le chatouille pour trahir son éveil et lui dépose un baiser très tendre sur le front, le serre dans ses bras en le berçant. Puis elle sortait de la pièce. Les yeux ronds, en faisant la sorcière, elle prenait un accent africain très prononcé :

« Il faut que je me dépêche là, grrrr ! La neige blanche va engloutirrr la femme noirrre ! »

Puis elle traversait le couloir qui donne sur les chambres de Vanessa et Samuel.

« Qu'est-ce que tu fais ? » l'interrompt J.-P., qui a passé la tête et observe d'un œil rond son fils qui danse, déchaîné.

Mathieu, surpris et honteux, devient tout rouge, et coupe immédiatement la musique.

« Rien, dit-il en se recouchant, ouvrant son cartable.

– Bon, ça te regarde après tout, t'es assez grand. Si tu peux juste écouter ta musique au casque, ça m'arrangerait, j'arrive pas à me concentrer. Bonne nuit. »

Mathieu s'en veut d'avoir été démasqué. La danse, c'est son secret avec Mirette. Il avait l'air de quoi là, tout seul, à remuer comme un idiot ? Triste, n'ayant comme interlocuteur que lui-même pour se consoler, il chantonne, et le sourire revient. Encouragé, il se plonge dans ses cahiers et remplit sa promesse.

Les heures s'écoulent comme des gouttes d'un robinet déréglé et Mathieu se surprend à observer l'aiguille de sa montre Spiderman qui ne s'arrête jamais de tourner, d'aller de petit trait en petit trait. Il en voulait une comme ça, il n'aime pas les chiffres, il voulait les fines aiguilles qui tournent sans cesse. Il s'amuse à guetter le moment où la petite, comme poussée par la grande, change elle aussi de place et finalement de minute, puis de quart d'heure, puis d'heure. Ses yeux fixent le mécanisme et il s'endort, hypnotisé.

L'enfant a dû louper quelques mouvements silencieux de son frère ou de sa sœur. Sa mère est toujours murée dans ses appartements.

Ses devoirs sont faits.

Le ventre légèrement serré, après avoir alterné assoupissements, éveils, goûters divers, il se couche, regarde ses dessins, imagine Mirette avec ses fils et, avant d'éteindre sa bougie, prend son livre préféré, *Le Loup Noël*, qu'il lit à voix haute. Entre les pages, il souhaite en secret que demain la neige soit toujours là pour ne pas aller à l'école. Mais il faudrait quand même que Mirette revienne.

Deuxième matin

Une sonnerie stridente retentit dans le bureau de J.

« Aïe ! Ah, ce dos qui me tue, c'est pas vrai ! » bougonne l'homme après avoir neutralisé l'agresseur sonore.

Il essaie d'allumer son ordinateur, qui ne réagit pas.

« Oh, merde ! ça va, maintenant... Ça devient lourd, leur histoire... »

Il regarde sa montre, elle confirme ce qu'indiquent les aiguilles du réveille-matin de son fils : il est 7 heures. Il se lève, fourbu et peu enthousiaste, plaque la main sur son téléphone portable pour savoir si le réseau est revenu. Aucun signal.

Il descend l'escalier, plus froid que la veille, retourne dans son bureau se couvrir d'un pull et de chaussure, et dévale les marches, armé de sa montre-lampe et de son smartphone. Il guette la porte d'entrée, en bas, scrutant de ses deux faisceaux blancs le mur de glace, espérant qu'il ait fondu. Il s'en approche, le touche du doigt pour essayer de le percer. Le mur résiste. Il frappe la paroi, mais toujours aucun signe de faille, aucune fissure. Il se met alors à cogner avec les poings, de plus en plus fort, puis assaille le bloc de ses deux bras pour le défoncer de tout son poids.

« Saloperie », dit-il entre ses dents devant le mur immuable.

Dans le garage, il tente de réenclencher encore et encore le disjoncteur, sans succès. Il examine la pièce, agrippe une pelle, un balai, une pioche, et revient, armé, dans le living. Le petit, debout, en pyjama, le regarde en grelottant.

« T'es là, toi ? Va mettre des bottes, un bonnet et une doudoune : on va casser ce mur. Ça doit être une couche de glace, on l'enlèvera d'un coup de pelle ! Allez, file t'habiller ! »

L'enfant bondit et disparaît dans l'escalier qui mène à sa chambre. Le père commence à creuser. Il tente de trancher le mur à l'aide de son outil, comme s'il éventrait une bête vivante. Il secoue le manche resté coincé, l'agite de toutes ses forces, le dégage enfin, puis recommence. Des morceaux de neige glacée tombent dans la pièce. Le mur blanc est plus épais qu'il ne pensait. J.-P. se saisit alors de la pioche et creuse carrément. Il s'acharne sur ce bloc inerte et le détruit petit à petit en l'émiettant. Son fils revient vite, surexcité, habillé en Bibendum par-dessus son pyjama. Il attrape le manche d'un râteau, imitant son père, et attaque l'ennemi.

« Qu'est-ce qu'on va faire des blocs ?

– Ils vont fondre, t'occupe pas de ça pour l'instant. Il faut traverser cette saloperie de mur pour voir le jour. Et me saoule pas, j'ai mal au crâne.

– OK ! » dit le petit, décidé à se conduire comme un grand, efficace, sur lequel son père pourra s'appuyer.

Ils tapent tous les deux comme des bûcherons s'attaqueraient à des rondins. La glace se brise et continue de s'entasser en morceaux dans l'entrée, mais plus ils avancent dans le blanc de l'épais écran, plus il y a du blanc, et plus il faut creuser. Il n'y a pas « d'autre côté ». Il n'y a que la neige et toujours la neige, devant, au-dessus et au-dessous.

À force d'efforts, ils arrivent à sculpter une sorte de cavité hors de l'encadrement de la porte d'entrée, qui forme une minuscule grotte. J.-P. ne rit plus du tout, n'en croyant pas ses yeux, mi-effrayé, mi-incrédule. Il tient à peine debout dans l'étrange espace. Il touche, cogne, éclaire de ses rayons portatifs la glace immuable, impénétrable…

Le petit, lui, est aux anges :

« Ça fait comme le début d'une caverne ! Et en plus on a chaud maintenant ! Hein ?

– Oui, répond J.-P., très essoufflé, ne comprenant vraiment pas ce qui se passe. Va réveiller ta mère.

– Pourquoi ? répond Mathieu, inquiet.

– Discute pas, va la chercher !

– Elle va râler et se fâcher !

– Va la chercher, je te dis !

– OK, j'y vais… »

J.-P. regarde le début de « caverne », comme dit son fils. C'est invraisemblable, c'est ridicule, c'est une mauvaise plaisanterie. Il se met à rire nerveusement.

« Hé ho ! Il y a quelqu'un ? Houhou ! Mirette ! Ho, répondez !… Y a plus rien qui marche dans la baraque, grogne Vanessa du haut de l'escalier, à moitié endormie, casque sur les oreilles et braquant la lumière de son téléphone vers l'entrée. Oh putain ! lâche-t-elle en rigolant, sciée par la vision. L'hallu ! C'est une grotte maintenant, c'est canon ! Ça a tenu depuis hier ! Le délire ! »

Samuel déboule, sa couette sur le dos, escargot dans sa coquille ne voulant pas encore se réveiller, lumière du portable braquée, comme sa sœur scotchée devant l'étrange paysage.

« C'est top, on est vraiment bloqués, pas de bahut aujourd'hui non plus. Oh, ce mur de glace, c'est de la balle ! » articule mollement le marshmallow.

J.-P. continue à creuser et, de temps en temps, entre deux coups de pelle, tente un coup de fil, sans succès.

« Mais c'est pas possible ! Mes batteries sont nickel ! Ça m'a coûté une fortune, cet engin. J'ai du réseau n'importe où, normalement. »

Samuel fixe la porte d'entrée, à côté de sa sœur, et part dans un fou rire nerveux. Torches portablesques dirigées vers la « grotte », côte à côte, ils contemplent ce spectacle improbable. Le petit Bibendum revient, suivi de sa mère, l'œil hagard, en peignoir. Du haut de l'escalier, sorte de vision flottante dorée en mules à pompons, masque de tissu pour la nuit relevé sur les cheveux, Pam regarde vers le living plongé dans l'obscurité vaguement percée par quelques bougies déjà fatiguées. Droite, campée devant tout le monde, peu avenante, elle dort encore, écouteurs sous ses cheveux froissés par la nuit, réclamant l'oreiller.

« Je peux savoir pourquoi tu me réveilles ? Ça pue, ici, et il fait froid... dit-elle aussi sèchement qu'elle le peut dans sa mollesse.

– Je te réveille parce...

– Hein ? dit-elle en dégageant une oreille des écouteurs enfouis sous sa chevelure.

– Je te réveille parce qu'il s'est passé quelque chose de bizarre. Je sais pas quoi exactement. On nous a fait une blague, je comprends pas, explique-t-il sans cesser de creuser. On ne peut plus sortir de la maison, on est bloqués par la neige, et je pensais que peut-être il serait bon de te tenir au courant, voilà.

– C'est une tempête, point barre, et alors ? » rétorque Pam, qui part dans un rire saisissant, venu des entrailles d'un monstre mal luné. Puis elle singe son mari :

« "Je te réveille parce qu'il s'est passé quelque chose de bizarre..." *Oh my God*, J.-P. ! C'est pour ça que tu m'envoies ton fils ? Ce n'est pas la première fois qu'il y a de la neige dans le secteur, que je sache ! On habite pas sur la Côte d'Azur !... Ça fait un moment qu'on le sait, non ? Moi, je vais me recoucher, vous n'aurez qu'à me réveiller quand ça aura fondu... » dit-elle en remettant son écouteur, avant de disparaître. Fondue au noir.

Vanessa secoue son téléphone portable, continuant à parler toute seule, oreilles couvertes.

« Y a rien qui passe, putain, c'est trop galère ! Je vais me recoucher et mater des séries, moi... Le kif... »

Sam vérifie avec les mêmes gestes son propre téléphone. Il renifle la pièce avec son engin mort. J.-P. brandit son appareil dans un autre coin du living. Tous les trois sont des chercheurs de réseau, chacun dans son espace, au cas où.

Entre-temps, Samuel a été fouiller dans la cuisine et en ressort morose.

« Et si on veut se faire un truc chaud, qu'est-ce qui se passe ?...

– On se fait un truc froid, répond le père.

– Fait chier, merde, marmonne Samuel en replaçant le coussin du casque sur son orbite.

– C'est comme ça... Et le premier truc auquel il faut qu'on pense, c'est essayer de dégager au maximum le conduit de la cheminée, pour qu'on respire et qu'on essaie de faire du feu. Tant pis pour le bordel.

– Oui ! crie le petit. Et on se fera chauffer des trucs sur le feu ! Comme à la préhistoire !

– T'arrêtes, s'il te plaît... Tu me fatigues. Ils sont où, tes jeux vidéo ? » dit J.-P. pour faire taire son fils.

Vanessa est passée, comme son frère, par la cuisine avant de remonter dans sa chambre. Elle s'est préparé un plateau avec de quoi grignoter : un mélange savant de céréales, lait, chips, un peu de Nutella et du pain de mie. Samuel ouvre tiroirs et placards. S'éclairant de leurs montres aussi perfectionnées que celle de leur père, et de leur téléphone, incrusté dans la paume de leur main, tous deux gravitent autour des victuailles, abondantes. Ils sont silencieux, étrangers, se servant tels des collègues de bureau dans un self-service, un premier jour d'embauche, quand personne ne se connaît ni ne se parle. J.-P. leur lance un regard déçu : ils ne l'aideront pas. Il suit des yeux les deux silhouettes qui remontent dans leur chambre et continue de donner de grands coups de pioche dans l'ennemi glacé. Le petit a vu le regard de son père sur son grand frère et sa grande sœur et amorce un mouvement. Il veut dire quelque chose, mais se retient et recommence à imiter son exemple, très fier d'avoir de la force et de se rendre utile. Il le fixe, grand sourire aux lèvres, les joues en feu :

« J'ai chaud maintenant... Ça fait de la transpiration de creuser, hein ? C'est nous le feu... On va réchauffer la maison et faire fondre la neige. Avec nos corps. Et on va venir nous aider... De toute façon...

– Oh, mais que je suis con ! Que je suis con ! » crie soudain J.-P. en se tapant la tête.

Le petit sursaute et suit son père qui part en courant, trottant derrière lui à travers la cuisine, puis pénétrant, sur les traces des grandes jambes, dans une sorte de garde-manger-buanderie regorgeant de bouteilles de vin soigneusement rangées. J.-P. bouscule la table à repasser qui tombe avec fracas, libérant du linge qui vole par terre, et ouvre une trappe qui conduit au sous-sol. Guidé par ses deux rayons puissants, il descend l'escalier raide qui mène vers les entrailles de la maison.

« On a une alarme ! On est reliés à la mairie ! Que je suis con ! Non mais quel idiot !... Ah ah, mais oui, évidemment !... Hé, pas si débile, le J.-P. ! Ça m'a coûté une fortune, ce truc. »

L'homme, excité comme un gamin, arrive devant un système de sécurité anti-vol-anti-incendie avec boîte informatique. Mathieu regarde son père agité comme jamais, et tente timidement :

« Oui, mais y a plus d'électricité, alors ça peut pas marcher...

– Tais-toi ! Tais-toi deux minutes, s'il te plaît ! C'est supposé marcher justement quand y a pas de jus, alors laisse-moi faire et arrête avec tes questions.

– Mais...

– Tais-toi, je te dis ! crie J.-P. T'as compris ? Tais-toi ! Je peux pas me concentrer ! J'ai oublié le code. Merde. Putain de code... J'arrive à rien avec toi dans mes basques, tu discutes, tu me poses des questions, tu es là à me suivre comme un toutou, t'as rien à foutre ? »

Mathieu, transi de froid et d'effroi, se bloque d'un seul coup, laissant échapper un petit sanglot étouffé.

« Tu vas pas pleurer ! C'est pas le moment. T'as rien d'autre à faire, franchement, que de venir t'emmerder ici ?

– Mais je m'emmerde pas...

– J'y arrive pas quand t'es dans mes pattes, tu piges ? Laisse-moi tranquille, j'irai plus vite. Va faire ta vie, tes trucs de gamin ! Je sais pas ce que t'as à me coller aux basques, qu'est-ce qui te prend ? »

Mathieu pleure et tente d'essuyer chaque larme au fur et à mesure qu'elle coule, comme pour la faire disparaître ou remonter d'où elle vient. Il tourne doucement le dos à son père et s'en va.

La caverne secrète

« Oui ! C'est ça ! XKUV 2020 ! Mais oui ! Yes ! » hurle soudain J.-P.

Le petit garçon s'éloigne de son père et l'entend faire la formule magique sur le boîtier. Long silence. Rien n'a l'air de se déclencher. Mathieu esquisse un léger sourire. Un étrange sourire de vainqueur. Il est soulagé. Peut-être qu'il ne va rien se passer, même avec le système d'alarme. Il ne sait pas vraiment pourquoi, mais il n'a pas envie que les choses redeviennent normales, que la neige fonde, que les secours arrivent. Non, Mathieu aimerait que ça reste comme c'est, et voudrait continuer de creuser avec son père. Il sait que, normalement, la combinaison miracle déclenche un système électronique relié à la police et aux pompiers. Il l'avait oublié lui aussi car personne ne s'en était jamais servi jusqu'ici, la maison est trop neuve, mais il en avait déjà entendu parler dans les interminables conversations téléphoniques de son père et avait compris que c'était une fleur, un discret cadeau du maire en échange d'autres cadeaux de J.-P. Mais ça ne marchait pas. Ça ne marche pas. Mathieu souhaite que les secours n'arrivent pas, mais que Mirette reparaisse, ça oui.

L'enfant continue de traînasser, en cachette de son père. Il ne veut pas remonter dans le living tout seul, et puis il fait meilleur ici, à la cave. Il boude, errant dans l'obscurité chaleureuse et plus accueillante. Une noirceur à laquelle il s'habitue sans y prêter vraiment attention dans sa révolte. Il se promène mollement, ne voulant pas obéir à son père qui remonte à toute blinde, et dont il entend les grognements au loin :

« C'est pas possible que ça ne marche pas ce truc, c'est lié à l'alarme que Mirette branche systématiquement quand elle part ! crie J.-P. au loin, qui a oublié son fils. Ça va s'arrêter les conneries, ça suffit ! »

Il retourne dans le garage, toujours guidé par ses deux faisceaux de montre et de téléphone, se précipite sur le boîtier du système de sécurité fixé au mur à côté du compteur, l'ouvre brutalement et tombe en arrêt : le bouton n'est pas enclenché.

« Putain de merde ! C'est pas possible d'être aussi conne ! C'est pas possible ! Elle l'a fait exprès ou quoi ? »

Mathieu, depuis sa cachette, en bas, entend les hurlements. Il n'a jamais remarqué cette voix hystérique et déchaînée qui le fige sur place :

« Elle a pas enclenché cette putain d'alarme ! Oh non, j'hallucine... » hurle encore la voix.

Mathieu ne bouge plus et ferme les yeux.

« S'il vous plaît, quelqu'un... Venez, s'il vous plaît... Il faudrait dire à mon père d'arrêter de crier comme ça... S'il vous plaît, quelqu'un... Mirette... »

Mais, là-haut, les coups redoublent. Mathieu se demande ce qui se passe et, pour fuir le bruit, il s'enfonce dans le noir, étonné d'entendre si nettement son père qui tape comme un fou sur les murs et les meubles. Effectivement, l'homme, déchaîné, poussé à bout, explose des cartons, divers objets, tout ce qui lui tombe sous la main, avec un râteau. Il défonce tout ce qu'il peut dans le garage, autour de l'innocent compteur inerte.

« Non mais ho, tu la fermes ? Qu'est-ce qui te prend ? T'es malade de beugler comme ça ! crie Pam à J.-P.

– Mirette n'a pas enclenché l'alarme, et si elle n'a pas enclenché l'alarme, on est pas reliés, lance J.-P., déchaîné. Cette conne n'a pas enclenché ce système qui nous a coûté une fortune ! continue-t-il de cracher, complètement hystérique.

– Mais reliés à quoi ?

– Ben, à la mairie, aux pompiers !

– Pff, tout de suite les grands mots ! Mais enfin calme-toi, mon pauvre vieux… Calme-toi, ou si t'as envie de t'exciter, fais-le ailleurs, va faire un tour dehors… »

Pam fait un geste du bras pour désigner les alentours, l'extérieur, puis se reprend, puisque pour l'instant il n'y a pas de « dehors ».

« Enfin, fais-le où tu veux, mais loin, qu'on t'entende pas… »

Puis elle tourne ses chaussons à froufrous et repart se coucher.

« Si ça se trouve, elle a voulu nous enfermer !… Ah ah ! Dans nos systèmes informatiques ! Si fi-ables ! Notre fidèle négresse nous a coincés comme des rats dans notre palace conçu par le plus grand magouilleur de tous les temps, M. Jean-Pierre Darmi, roi de l'immobilier, ah ah… ! » continue Pam en aboyant dans sa robe de chambre qui semble liquide tant elle scintille par vagues dans l'obscurité.

J.-P., assis sur un carton du garage, regarde par terre, la tête lourde et tombante, vaincu par la fatigue et une sensation de vide. Il se relève lourdement dans le noir opaque du garage, sans se guider avec ses lumières de fortune. Il avance à l'aveugle vers le living, se cogne à un carton, trébuche sur des boîtes et, lentement, rejoint la grande pièce où une bougie est restée allumée, seul petit point de lumière dans le vaste espace silencieux. Il s'arrête net et regarde au loin la flamme, ne la quittant pas des yeux, hagard. Il fixe, debout, la forme qui scintille et vacille. La minuscule lumière est là, toute seule, dans l'obscurité désertée. J.-P. est immobile, comme s'il reposait tout son corps, tout son être sur le point doré et chaud, là-bas, à quelques mètres. La source lumineuse fluette, dansante, le rassure et il sourit bêtement.

« Je suis complètement con de m'exciter comme ça… Vraiment nul. Je sais pas pourquoi je me prends la tête… »

L'homme se met à rire tout seul sur son sort d'auto-agitateur un peu chochotte. Puis, par on ne sait quel mauvais tour, la lumière de la bougie s'évanouit.

« Saloperie », marmonne J.-P. en actionnant la lampe de sa montre pour se guider.

Il marche vers l'objet de cire éteint, l'attrape de ses mains froides et, le jetant à terre, le piétine sauvagement comme pour tuer un animal qui résiste.

« Ça vaut rien… » et il éclaire la pièce avec le faisceau de sa montre supersonique en riant. Ça, c'est du lourd… Ça, ça lâche pas ! »

L'homme s'approche du meuble où sont rangées les bougies. Il prend la plus grosse, la soupèse, fier de sa prise, il la pose sur la table basse, l'allume avec son briquet. Une flamme renaît, il sourit, comme s'il venait d'inventer le feu, et s'assied devant son œuvre, la fixant toujours.

« Toi, la grosse, tu devrais être un peu plus efficace... »

Il balaie à nouveau la pièce à l'aide du faisceau lumineux de sa montre. Il éclaire le grand living puis le tunnel. Enfin, il repose ses yeux sur sa bougie, sa seule compagne.

« Qu'est-ce qu'on va foutre, hein ? demande-t-il à la flamme. On peut pas faire de feu dans cette cheminée, il n'y a pas d'air... On a quand même l'air un peu bloqués, non ? Un peu plus que d'habitude, on dirait ? Qu'est-ce que t'en penses ? C'est comme ça que ça va se passer, alors ? Et tout le monde s'en fout ! Bon... Qu'est-ce que t'en dis, toi, mademoiselle la bougie ?... Mais ta gueule, J.-P. ! se répond-il à lui-même en changeant de timbre, laissant s'exprimer toutes ses voix intérieures. Elle a raison, ta femme, t'en rajoutes toujours, tu fais des drames ! Ta femme ! Ah ah ah ! T'es coincé avec ta femme... Ah ah, elle est bonne, celle-là... Mais oui, elle a raison, calme-toi... Les réseaux vont revenir, tout va revenir. Hmm ? Vous allez tous vous rallumer et arrêter de nous emmerder ! » crie-t-il aux deux énormes écrans plats qui trônent dans la grande pièce obscure, aux chaînes hi-fi ici et là, à son iPhone, aux CD soigneusement rangés, aux DVD, aux ordinateurs de toutes tailles, figés.

« Bon... je vais me faire un caf... non... Je vais boire un coup, tiens, oui, voilà, je vais boire un coup. Il est quelle heure ? 14 heures ? Ben ouais, c'est l'heure du digeo... Ouais, le petit digeo à la fin du déj... que j'ai pas mangé, mais on s'en fout... je vais boire un bon coup... À la santé de cette conne de Mirette. »

Il se dirige vers le bar en métal or patiné incrusté de pierres précieuses et se sert un bourbon.

AIR

Mathieu continue de s'enfoncer dans le noir de sa caverne, au sous-sol, sans pouvoir s'arrêter. Ses larmes ont séché. Il est attiré par une musique qu'il perçoit au-dessus de lui et par la voix de son père, dont il reçoit quelques bribes, et marche à petits pas, avec la sensation que l'obscurité s'éclaircit. Il chante sans s'arrêter et se dit que le son de sa voix transforme la couleur de l'atmosphère. Ses notes sont de plus en plus puissantes, comme pour augmenter la clarté de la cave. Il a quand même le cœur serré à l'idée de s'enfoncer dans un lieu inconnu. Le petit explorateur reconnaît la guitare d'une chanson que son frère écoute souvent, voilà, c'est ça, il retrouve les rythmes sourds, la voix qui hurle, c'était ça, le bruit. D'autres sons sourds lui parviennent de là-haut. En avançant un peu plus loin, il sent sous ses pieds un sol mou, comme de la terre. Il se penche pour toucher et caresse de ses petits doigts la matière friable dont il ne distingue pas grand-chose, mais qu'il devine dans le noir plus tout à fait noir. Il en prend une poignée invisible, qu'il renifle. Il éternue aussitôt. Son « atchaa ! » résonne comme dans une caverne.

« Aaaaaaa !... aaahhhhaaaa... » continue Mathieu tout haut, s'amusant avec sa voix.

Ses parents savent-ils que cette grotte existe, au-delà de la cave, juste en dessous de la maison ? Sans doute. Mais les grottes n'intéressent pas les grands. Ce sera sa grotte. « La, la la… » Il chante de plus en plus fort, c'est comme si sa voix avait grandi d'un seul coup. Il hurle presque. Il est heureux, il a trouvé une cachette secrète. C'est chouette, les tempêtes, elles font découvrir des trésors. Il l'observe attentivement, en examine les moindres détails, les recoins enfouis, et sent une arrivée d'air qui chatouille ses mollets sous l'étoffe de son pyjama. Il baisse les yeux et remarque une petite grille métallique incrustée en bas du mur.

Il tend la main vers le trou étrange qui laisse s'échapper un filet de vent glacial, puis se baisse et applique son oreille au sol pour vérifier si on entend quelque chose dans le conduit. Un vent léger le caresse. Il s'allonge, plaquant tout son corps par terre, pour mieux regarder au travers, mais ne distingue rien. Il se relève et continue son observation du souterrain. Ses yeux maintenant acclimatés au noir distinguent un petit carré de bois clair au plafond. Il cherche un escabeau qu'il trouve dans l'autre pièce de la cave, celle où son père était tout à l'heure, l'installe dans sa cachette, grimpe et tâtonne le bois. Ses petits doigts chercheurs tombent sur un loquet et, haletant, il ouvre la trappe. Il grimpe plus haut sur l'escabeau, passe la tête par l'ouverture et découvre le garage.

Il sourit, fier de lui, fredonnant sa chanson favorite.

Dans le living, J.-P. boit son whisky, assis sur son canapé de grande marque. Hypnotisé par la flamme de la bougie soudain très vaillante, il n'entend pas le chant de son fils. Il regarde son portable sans réseau et cherche un moyen de communiquer avec quelqu'un, dehors, quelque part, une connexion Internet, quelque chose, mais rien ne répond. Il voudrait des infos, pianote, compose et recompose des numéros d'amis, SOS Médecins, la police, sans cesse. Rien. Les touches de son 5G sont comme mortes. Il répète encore et encore :

« C'est pas possible… C'est pas possible, aujourd'hui, d'être coupé de tout comme ça !… Qu'est-ce qu'ils attendent pour venir nous chercher, quand même… ? »

Il regarde à nouveau autour de lui en changeant de timbre.

« Calme-toi… ça va revenir… »

Il fouille dans la poche de son pantalon, en sort un cachet qu'il met dans sa bouche et l'avale avec son whisky. Il se cale dans le canapé et s'endort. Mathieu, remonté de sa grotte secrète, tapi dans la cuisine, ne fait aucun bruit. Il observe son père attrapé par le sommeil qui n'est pas remonté dans sa chambre. Le petit homme sourit, avance à pas de loup pour ne pas interrompre le joli tableau et reste là, à regarder. Il n'a jamais vu son père dormir, il le connaît surtout enfermé dans son bureau. Mathieu est émerveillé. Un ronronnement, qui s'échappe du grand corps, l'amuse. Il place sa main devant les narines de son père pour en sentir le souffle. Puis, trop effrayé, craignant qu'il ne se réveille soudain, il file dans la cuisine comme un petit chat, sans un bruit.

Le roi de la savane

Le petit garçon s'assied sur une chaise de la pièce éteinte, d'habitude pleine de vie et de Mirette. Le marron opaque de l'atmosphère l'envahit, il grelotte. Mais où est-elle, Mirette ? Est-elle bien arrivée chez elle ? On ne sait pas. On ne sait pas où elle est vraiment. Va-t-elle venir comme tous les matins ? Elle n'était pas là hier. Mathieu ferme les yeux et demande un *rewind*. Revenir en arrière et empêcher Mirette de partir.

« Ne t'inquiète jamais pour moi, je suis toujours à côté de toi, même si tu ne me vois pas. Tu dois me sentir. Là, sur ton épaule », dit-elle à Mathieu tous les soirs avant de quitter la maison.

Quand il était plus petit et qu'il pleurait longtemps, elle le lui rappelait tous les jours. Mais alors, quand va-t-elle revenir ?

« Je n'ai pas à revenir, puisque je suis là... Il faut que tu me croies, je suis avec toi. Maintenant, tu ouvres la porte du garage bien en grand et tu allumes un feu, tu m'entends ? »

Mathieu sourit.

« Mais... Je t'entends dans ma tête ! Tu me parles en vrai !

– Oui ! Puisque je te dis que je suis là !

– Mais c'est pas possible ! T'es pas là en vrai !

– Qu'est-ce qui est vrai ?

– Quand je te vois. Quand je te vois, c'est vrai.

– Eh bien, ferme les yeux. »

Le petit homme ferme les yeux, très appliqué. Il sourit aussitôt.

« Ah oui, dit-il. Je te vois...

– Si tu penses à moi, tu me vois, et si tu me vois, c'est que je suis là. C'est simple. »

Mirette a toujours des petits trucs comme ça. Des petits mensonges qui deviennent vérité. Des petites phrases qui expliquent tout en moins de deux. Mathieu a envie de pleurer. En expert du barrage, il ferme les yeux pour empêcher les larmes de sortir.

« Va allumer le feu, je te dis... insiste la voix de Mirette.

– Mais papa va crier, chuchote Mathieu.

– Fais-moi confiance, il ne criera pas. Ouvre la porte et allume le feu...

– OK, Mirette », dit-il en souriant, tout bas.

Son ventre gargouille. Il le serre pour le faire taire. De ses petites mains muettes, il ouvre le frigidaire, prend un yaourt, du lait, le referme sans bruit et fait coulisser le tiroir d'un placard pour attraper des céréales. Il connaît la cuisine par cœur et a l'impression d'être à la place de Mirette, dont il sait chaque geste, comme si elle était en lui. Il pose son pique-nique sur la table de la cuisine, là où ils faisaient tous les deux un gâteau hier, non, avant-hier, et il va chercher un bol et une cuillère. Il s'assied et se prépare minutieusement un petit déjeuner.

Une fois son bol prêt, Mathieu s'en empare et avance à pas de loup vers son père. Il contourne les ronflements, qui se sont amplifiés, pose sa préparation sur la table basse et s'assied sur un fauteuil, en face du corps en sommeil. Il engouffre ses céréales en le regardant fixement.

« Les hommes ronflent souvent, c'est leur façon de régner, même la nuit », lui a dit Mirette.

Mathieu sourit encore et a envie de rire. Il ne sait pas vraiment ce que veut dire « ronfler » : il n'a jamais eu l'occasion de voir son père dormir, car il s'assoupit toujours dans son bureau interdit et hermétique. Cette fois-là, il a droit au spectacle en exclusivité, rien que pour lui, et a tout loisir de détailler le phénomène. Cela se passe par soubresauts. Son père semble ne pas respirer du tout pendant quelques secondes, qui deviennent menaçantes tellement elles durent, et soudain un « Rrrrrrhhhhhhaaahhhnnnnn », une sorte de rugissement éclate dans la pièce, comme un cochon qui grogne.

Le petit homme se demande comment un tel bruit peut sortir de son père. Rrrrrrr... Puis le petit ronronnement léger reprend, régulier et pas trop dérangeant. Un silence et « RHHHRRRRAAAAANN » ! Le cri s'écrase contre les murs de la pièce. Il ose pincer le nez du dormeur pour vérifier l'effet que cela pourrait avoir. Mais il abandonne vite, de peur de l'étouffer ou de le réveiller. Mathieu a tellement envie de rire qu'il s'étrangle et cesse de faire l'observateur secret. Il engouffre une bonne dose de céréales, se lève, prend la bougie posée sur la table basse et marche vers le garage. Il ouvre la porte, se guidant avec la flamme, pour trouver du bois. Il saisit une bûche et quelques brindilles, puis revient vers la cheminée, le cœur battant.

Surveillant si son père ronfle toujours, il froisse doucement du papier journal et dispose les boulettes dans l'âtre, les unes à côté des autres. Il place quelques brindilles, puis, la main tremblante, il approche la flamme de la bougie coulante tout près du papier froissé. Elle se répand, contagieuse, les boulettes s'embrasent, puis le petit bois. Mathieu sourit, triomphant, puis soudain il a peur que la fumée n'envahisse la pièce. Mais le feu s'anime et la fumée se dissipe. Mathieu regarde les flammes, il rit doucement en chuchotant :

« Ça a marché, Mirette ! Ça a marché ! »

Gonflé de joie, le petit voudrait crier, mais il regarde son père et ne fait pas un bruit. Une majestueuse lueur dorée emplit la pièce et transforme l'atmosphère. Mathieu contemple son protégé avec un amour infini, si fier de le réchauffer, de lui apporter un peu de réconfort. Il profite des yeux clos de l'impressionnant dormeur pour poser les siens sur lui, longuement. Il observe ce visage qu'il ne voit jamais dans cet état d'absence et d'oubli, qui s'appelle le repos. C'est marrant, un grand qui dort. Ça se voit rarement, parce que les petits dorment avant les grands. Ça fait du vide, comme la nuit. Mathieu n'aime pas la nuit, parce qu'il faut dormir, et il n'en a jamais envie. Il aime regarder la lune par la fenêtre et ce n'est que le matin qu'il a sommeil, mais il faut toujours se lever pour aller à l'école. Pourquoi il n'y a pas d'école la nuit ? Ce serait mieux. Là maintenant, c'est la nuit, et il peut regarder son père dormir grâce au feu. C'est le bonheur. Mathieu admire le ronfleur, qui lui apparaît comme un roi dans la savane, qui a l'air d'être quelqu'un d'autre, d'avoir tout oublié, ses soucis, ses téléphones, ses ordinateurs, ses colères. Il a des petites rides juste à côté des yeux, au bord, et deux sillons qui descendent de part et d'autre du nez vers les extrémités de la bouche, comme si on avait taillé dans la peau de longues vallées pour creuser des rivières ou des cascades sans eau. Les yeux remuent à l'intérieur de la petite peau qui les protège. Ils ont l'air agités. L'homme fait des mouvements avec sa bouche, émettant toujours ses râles tonitruants. Il s'agite et se met à marmonner « Hmm... Non ! Non ! Noooon ». Mathieu, fasciné par son père, est interrompu dans sa dernière bouchée de céréales. Il s'étrangle de rire, le plus silencieusement possible.

« Qu'est-ce qui se passe ? demande le ronfleur, soudain éveillé.

– Rien ! Rien. Je mange.

– Ah... Tu me parlais ?

– Non, c'est toi qui parlais... Tu faisais un rêve. Peut-être...

– Tu parles d'un rêve...

– C'était quoi ? insiste Mathieu, il faut le raconter, ça fait du bien... Mirette, elle dit que les rêves, c'est nos médicaments naturels et que c'est dommage de jamais s'en servir...

– Tu me lâches, avec Mirette ? Et c'est quoi, ce feu, tu veux tous nous asphyxier ? Arrête ça tout de suite ! T'es malade ? crie J.-P., encore comateux.

– Mais non, il marche ! » supplie le petit.

J.-P. regarde les flammes, en sortant peu à peu de son sommeil alcoolisé. Il fixe les formes ondulantes danser dans la cheminée. Ses yeux sont grands ouverts, bloqués comme devant une hallucination.

« Mais pourquoi ça fume pas ? marmonne-t-il. Ça a fondu ? On peut sortir ? »

Et il se lève brutalement, se ruant vers le tunnel. Il déchante et se retourne vers son fils.

« Mais alors, pourquoi ça fume pas ?

– Je sais pas », répond Mathieu.

Un sourire se dessine sur son visage.

« Eh ben on s'en fout, ça fume pas et puis c'est tout… Tant mieux… Il est beau, ton feu. Bravo, mon gars. »

Le petit visage de Mathieu se creuse de toutes ses fossettes, mais il cache sa joie en avalant le reste de ses pétales de maïs et autres petites formes molles imbibées de lait.

Ensemble

« Ça se fête, non ?! »

Barry White apparaît, chaloupant sur l'écran d'un iPad dernier cri. Sur scène avec ses musiciens, il chante de sa voix chaude et sensuelle. Son grain velouté et grave emplit toute la pièce. J.-P. sourit à Barry et trinque avec lui, avec la bougie, avec son iPad, avec Mathieu.

« C'est un sacré bonhomme ! Monsieur Barry… qui a aidé à peupler la France !

– Comment ça ?

– C'est des trucs de grands. Allez, à la vôtre ! dit J.-P. à l'iPad et à la bougie. Bon, on creuse ? On se bouge un peu, et on va bien arriver quelque part avant qu'on nous sorte de là, lance-t-il à son fils qui boude en mangeant sa mixture. C'est un peu glauque l'ambiance ici, non ?… Y a pas des lampes qui traînent quelque part dans le garage ? Tu pourrais nous trouver ça ? »

Mathieu bondit du fauteuil et court dans l'antre froid et lugubre. Il commence ses fouilles dans les cartons entassés du garage. Son cœur bat, il veut remplir sa nouvelle mission. Il faut qu'il trouve au moins deux lampes de poche pour faire plaisir à son inconnu de père qui est là, pour une fois. Il dandine son petit popotin sur le rythme rond de la chanson de Barry White et ouvre des cartons au hasard bourrés de vêtements, chaussures, bazar divers. Soudain, il voit une cantine sur laquelle une étiquette indique « Vieux trucs à jeter ». Il plonge ses petites mains dans les tissus de tente, les habits, les piquets et autres sacs de couchage, et tombe sur une magnifique lampe de poche réglable, avec plusieurs intensités lumineuses.

« Yeah ! »

Sans rien ranger, il retourne en courant dans le living rejoindre Barry, qui chante devant son père avachi dans le canapé.

« Ah, bah voilà ! T'en as qu'une ? C'est déjà ça. »

Mathieu, tout fier, tend la lampe à son père qui la positionne au milieu de la table. Le faisceau dirigé vers le haut forme un jet de lumière qui claque sur le plafond mauve clair, donnant une certaine douceur à la pièce. J.-P. se ressert une goulée de whisky et se gratte la tête. Ses yeux semblent vides et sombres, brutalement, comme un ciel qui noircit. Mathieu sourit. L'adulte le remarque et lève les yeux vers son fils.

« Qu'est-ce qu'il y a ? demande-t-il.

– On prend le petit déjeuner tous les deux... C'est marrant...

– Qu'est-ce qu'il y a de marrant ?

– Ben, on est tous les deux... C'est la première fois », répond Mathieu.

J.-P. fixe le petit, qui sourit avec insistance, effrayé d'avoir dit une bêtise.

« Non », dit J.-P.

Mathieu sourit encore, marchant sur des œufs.

« Ben si... Mais bon, c'est pas grave...

– Je sais que c'est pas grave... Mais quand je prends mon café le matin, je te vois, t'es dans la cuisine avec Mirette, et on est ensemble, non ?

– Non, parce que tu téléphones toujours, et c'est pas comme là... Là, tu téléphones pas et y a pas la télé et tu parles plus à la télé... Et on a le droit de manger dans le salon et de faire du feu...

– Je parle à la télé, moi ?

– Oui, tu dis beaucoup de chiffres... pour tes affaires... Et l'argent... et tu râles quand ça descend et tu ris quand ça monte... »

J.-P. fixe son fils, à la fois intrigué par ce que vient de lui dire le petit garçon, mais aussi, accusant l'évidence, il réfléchit à des milliers de choses.

« T'es en quelle classe, déjà ?

– En CM1...

– Ah ouais... T'as bien grandi, dis donc... »

Mathieu sourit fièrement.

« Et t'as de bonnes notes ? Tu travailles bien ? C'est quoi ta matière préférée ?

– Les maths...

– Ah bon ? C'est pas marrant...

– Si.

– Et t'es fort ?

– Oui...

– Ah bon... Et t'as des copains ? »

Mathieu prend sa respiration, assailli par la quantité de questions auxquelles il va répondre. Il rit fort, tout ému, excité comme une puce.

« Pourquoi tu te marres ? balance J.-P. en avalant une gorgée de whisky.

– Pour rien ! Alors... Oui, je travaille bien. Au premier trimestre, j'ai eu 14 de moyenne.

– Générale ?

– Oui. Et, oui, j'ai un copain. C'est mon meilleur copain. Il s'appelle Gilles.

– Ah… Et il fait des maths, lui aussi ?

– Non, il fait du piano…

– Ah… »

J.-P. regarde sa montre. Puis il observe son fils.

« Et tu l'as amené à la maison, ton copain ?

– Non…

– Pourquoi ?

– … Parce que… il ne peut pas… Enfin, c'est compliqué. Il est aveugle…

– Ah merde…

– Mais il est super. Il joue super bien… C'est un génie.

– Ah… T'as poussé, dis donc… Ça passe vite, hein ? Je suis bouffé par le boulot, c'est pour ça que je te vois pas…

– Là, tu me vois… dit le petit.

– Hein ?

– Tu dis que tu me vois pas, mais là tu me vois… et moi aussi je te vois », insiste Mathieu.

J.-P. ébauche un sourire à son fils qui baisse les yeux, ému, et cache sa gêne en plongeant la tête dans son bol vide.

AMIS VIRTUELS

Il y a beaucoup de monde là-haut, mais chacun est dans son coin. Une foule de gens bavards vivent des aventures très animées sur les écrans. Ils s'agitent, font du bruit, crient, s'aiment, se tuent, se quittent, se retrouvent. C'est une foire de la série. Chacun des spectateurs, tapi dans son obscurité, est éclairé par la lumière vibrante de ses images de fiction ou de jeu virtuel. En attendant que la neige fonde. Pam accompagne son épisode d'un verre de blanc et de son Prozac quotidien. Elle s'est couverte d'un manteau de fourrure et se maquille en même temps qu'elle suit les événements cruciaux vécus par les femmes et hommes de l'écran. Elle les délaisse parfois quelques minutes pour jouer avec son iPad de la main droite, et regarder des vidéos qu'elle a enregistrées. Un homme marche sur la plage dans l'écran, souriant et lançant des baisers à la caméra.

« Carl chéri... » laisse échapper la femme.

Il lui fait des signes de la main, l'embrasse en tendant son visage et sa bouche vers la caméra. Pam a les larmes aux yeux. Elle met la vidéo sur pause, s'approche de l'écran de son iPad et parle à Carl, doucement :

« Tu me manques, mon chéri. Qu'est-ce que je fous ici à me morfondre ? Où es-tu, toi ? Je t'aime... susurre Pam à son iPad. J'ai envie de toi... »

Le visage de Carl, un bel homme figé dans son sourire, reste muet. Pam embrasse encore l'écran de ses lèvres botoxées.

« Quand on viendra nous débloquer d'ici, je fonce à ton bureau et je ne te quitte plus, je me fous de tout le reste. Ma vie est avec toi. C'est peut-être pour ça que je me retrouve coincée ici, pour réaliser à quel point je t'aime ?... Hmm ?... »

Pam attend une réponse, un sourire, un signe quelconque. Elle réactive le film en effleurant l'écran tactile et Carl se ranime, marche, court sur la plage. D'autres images s'affichent, les deux amants mangent au restaurant, flânent dans la rue, s'embrassent. Pam glisse d'une image à une autre, puis redonne vie à ses héroïnes, qui lui changent les idées. Son ordinateur regorge d'histoires, il en est gavé comme une oie. Pam possède là-dedans des vies pour mille ans. Elle zappe et rezappe d'un balayage du doigt, avide, comme un vampire se recharge de sang. Elle ne se sent pas bien, a l'impression d'étouffer mais ne panique pas : ses alliés – Prozac, Lexomil et Xanax – sont sous son oreiller. Elle agrippe un flacon au hasard et ingurgite un comprimé à l'aveuglette.

De l'autre côté du couloir sombre, d'autres héros ont d'autres problèmes et s'agitent sur un autre écran d'ordinateur. Vanessa a le casque sur les oreilles, par habitude et à cause de la musique tonitruante de son voisin de frère. La jeune fille engloutit goulûment les images en même temps que ses chips et son Nutella. Dès qu'un épisode se termine, elle attrape son iPhone et cherche du réseau. Agacée par l'appareil impuissant, elle joue à n'importe quel jeu du minuscule écran, entasse des caisses, empile des bonbons, encastre des billes. Elle s'est couverte de pulls, chaussons en fausse fourrure sous la couette, peinarde. De temps à autre, elle se lève, va dans sa salle de bains, se coiffe, se maquille, se démaquille, se remaquille, prend ses innombrables flacons de vernis et se peint les ongles, en changeant et rechangeant de couleur.

De l'autre côté de la cloison, Samuel, calé sur sa chaise de bureau, s'est transformé en soldat de *Call of Duty*, joint au bec, et tue les ennemis en masse. Il avance en rampant, fusil chargé et pointé, guettant sa cible. Le sang gicle au gré des hommes qu'il élimine. Il s'éclate. Sa table de travail est envahie de jeux, CD, et d'une panoplie de manettes, autour de deux ordinateurs, trois claviers et plusieurs casques. La musique sort, hurlante, des enceintes branchées sur son iPod. Il a le casque sur le cou, au cas où l'électricité reviendrait, pour continuer la partie en réseau interrompue par la panne. Quand tout se réveillera, il sera prêt.

Au rez-de-chaussée, Barry White chante toujours, comme pour encourager J.-P. et Mathieu, qui ont repris leurs pelles et continuent de creuser devant la porte d'entrée, au-dehors. La cavité entamée s'est transformée en tunnel qui s'enfonce doucement on ne sait où, mais qui grandit. Mathieu n'a jamais senti son père si proche de lui. Dans le living, à quelques mètres d'eux, Barry White poursuit son concert, réchauffant la pièce, entouré de plusieurs bougies ondulant autour de lui comme des danseuses en or. D'autres, éparpillées dans la pièce, jusque dans la cuisine américaine, évoquent un public se trémoussant sur les vibrations musicales envoûtantes. Tout semble mis sur pause. La voix du chanteur s'impose dans la maison comme un nouveau venu. Elle lutte de toutes ses cordes contre le silence devenu trop parlant. De temps en temps quelqu'un descend dans le living et, telle une vision, se dirige vers la cuisine, anonyme, pour prendre quelque chose dans le frigidaire ou dans un placard. Rechargée, la silhouette remonte pour retrouver ses héros, son écran, son attente, ses machines électroniques.

« On fait une pause ? éructe J.-P. entre deux quintes de toux, très essoufflé.

– Oui, si tu veux, répond Mathieu en pleine forme.

– C'est dingue, on dirait que tout s'est transformé en neige, dit J.-P., que ça va jamais s'arrêter… Hhh… Hhh… Plus on creuse, plus il y en a… Ils doivent avoir un sacré boulot, en ville. Ça peut pas être une avalanche, on l'aurait entendue…

– Ben oui, dit Mathieu, souriant jaune.

– Et y a jamais eu d'avalanche dans le coin… La neige a pas pu tomber à ce point…

– Ben si, peut-être. Ça tombe, ça tombe… C'est comme ça… dit Mathieu pour faire durer la conversation.

– Oui… Enfin, on en sait rien… »

J.-P. regarde sa montre, qui affiche 19 heures. Il reprend son portable pour essayer à nouveau de téléphoner. Rien ne se passe.

« Il est beau, notre tunnel, dit Mathieu, enthousiaste.

– Hmm », marmonne J.-P. en regardant sa montre machinalement, pour faire passer le temps plus vite.

Pris d'une idée soudaine, il part vers le living chercher son iPad, dans lequel Barry chante toujours. Il l'interrompt, tentant de capter un réseau Internet sous le tunnel. Ses yeux s'illuminent devant un petit signe de vie virtuelle sur son écran, une amorce de connexion. Il se fige, avance, recule, pour capter à tout prix. Il faut que le petit signal

« 4G » revienne. Mathieu observe son père, qui s'obstine. Une connexion apparaît soudain. Excité, l'homme tapote sur son clavier et obtient des images furtives, qui s'interrompent, s'animent, puis se figent à nouveau, puis affichent des routes ensevelies par la neige, des accidents, la ville bloquée, comme noyée. Des sous-titres répètent des mots inhabituels.

« Une telle catastrophe naturelle... n'est pas... Merde ! Putain de réseau ! ...depuis celle du Canada en... rmée... Hélicoptères... Pour déb... qui n'arrête pas de... »

J.-P. regarde l'écran, le secoue, s'énerve, lutte contre son inquiétude grandissante, puis il éteint tout et remet Barry.

« Qu'est-ce qu'ils disent ? demande le petit.

– Oh, pfff... comme d'habitude... C'est une grosse tempête, et ils vont venir nous chercher... C'est un peu plus fort cette fois, c'est tout.

– Ah... Ils vivent comme ça, les Esquimaux ! dit le petit en admirant le tunnel qu'ils ont creusé.

– Oui... sûrement, marmonne J.-P., qui s'assied lourdement sur le sol de glace. J'ai plus de bras...

– Et ils ont pas froid... continue Mathieu.

– Hé !... Écoute ça ! T'entends ? Des hélicos ! » crie J.-P. en se relevant d'un bond.

Mathieu tend l'oreille vers le haut.

« Je vais leur dire ? demande Mathieu.

– À qui ?

– Ben, aux autres ! répond le petit, impatient.

– Ah ! oui... Oui, si tu veux ! »

Mathieu file comme une fusée, grimpe quatre à quatre l'escalier royal en se cognant au passage contre quelques obstacles noyés dans l'obscurité.

« Y a des hélicoptères qui viennent nous sauver ! Y a des hélicoptères, on les a entendus avec papa ! »

Mathieu reste penaud derrière les portes closes et silencieuses, et repart vers le rez-de-chaussée plus convivial.

« Ils veulent pas venir... Ils font des choses... ils ont dit... Ils ont rien dit... marmonne Mathieu, déçu.

– De toute façon, on dirait qu'ils sont repartis, les hélicos... C'est bien, en tout cas. C'est bon signe. Ils vont nous sortir de là. On s'inquiète toujours pour rien... Je sais pas ce que j'ai à stresser tout le temps, moi, et puis ce dos... Cette saloperie de dos...

– Tu veux un massage ? »

J.-P. part dans un rire idiot :

« Pardon ? Ça va pas ?! Je vais pas me faire masser par mon fils ! T'as mieux à faire, et moi aussi... Va jouer à tes jeux le temps que les secours arrivent. C'est une question d'une heure ou deux, à mon avis. Moi, je vais bosser. Si j'y arrive... J'ai un de ces mal de crâne...

– Les massages, ça enlève le mal au crâne, c'est Mirette...

– Arrête, OK ? Mais qu'est-ce qui te prend ? J'ai du boulot, moi, on a chacun nos trucs à faire, OK ? » dit J.-P. devenu agressif.

Il remplit son verre de whisky et monte les escaliers en titubant, le rayon de sa montre lumineuse tanguant au gré de ses vacillements. Mathieu reste seul, auréolé par les bougies consolatrices, et regarde l'ombre de son père se fondre dans le noir opaque de l'étage. Il reste devant le feu, hésitant. Il ne veut pas tout de suite retourner là-haut. Il plonge ses yeux dans les flammes comme pour y trouver une réponse. Il attrape une bougie et grimpe dans sa chambre. Assis sur son lit, il regarde autour de lui cet espace qui lui semble soudain étranger et hostile. Sa bougie dans une main et sa couette dans l'autre, il redescend, la traînant derrière lui. Arrivé en bas, il s'installe sur le canapé, devant le feu trop joli pour être abandonné.

Troisième matin

J.-P. ouvre un œil. Il est allongé sur le ventre, le corps vautré sur le sofa de son bureau, incrusté dans le cuir. Sa tête, vissée sur le côté, est marquée par les plis du coussin en lin surpiqué qui lui a servi d'oreiller. Il se relève d'abord difficilement, puis, grelottant, il bouge avec plus de souplesse et moins de douleur. Il regarde l'écran de sa montre, qui indique 5 heures. Il fronce les sourcils et se lève, la tête en vrac, téléphone à la main. Il bute dans son ordinateur ouvert.

« Merde ! Ah oui, d'accord... Saloperie de mal de crâne ! Et les secours, qu'est-ce qu'ils foutent, les secours ? »

Guidé par la faible lueur de son smartphone, il traverse le couloir puis descend l'escalier. Il voit son fils Mathieu endormi sur le canapé, enfoui sous sa couette, et amorce une remarque qu'il réprime aussitôt. Il regarde tout autour, comme pour se réveiller une bonne fois pour toutes.

La cheminée est froide et sans vie, engloutie dans le living noir et figé. L'homme va dans le garage et prend deux bûches, puis, en passant devant le compteur, tente de le rallumer. On ne sait jamais. Il a beau agiter les boutons, ils sont impuissants. Il allume les bougies qui, tout de suite, créent une présence magique. Il froisse de nouvelles boules de papier, les dispose dans la cheminée, ajoute quelques petits bouts de cageots dépecés, allume le tout avec son briquet, et la cheminée reprend vie. Elle éclaire la pièce de sa douceur ténue, dorée et enveloppante. Mathieu ouvre les yeux, voit le feu et son père en mouvement. Il les referme immédiatement, ne voulant rien interrompre du joli spectacle et de la présence paternelle qui le rassure. Il guette ce grand homme qui semble inquiet et absent. Mathieu le suit de ses yeux à peine entrouverts. J.-P. s'assied sur le canapé, agrippe son iPhone d'une main et son iPad de l'autre. Il s'acharne sur les boutons, tentant d'allumer les deux machines. Mathieu sent que son père n'est pas bien et le scrute comme un radar.

IPad et portable dans les mains, J.-P. va dans la cuisine.

« Un bon café, c'est quand même pas trop demander ! »

Maladroit, il fait tomber la magnifique cafetière Nespresso devenue impuissante, en manque d'électricité.

« Et merde. »

Il fouille dans les placards, le plus doucement qu'il peut, en chercheur acharné. Il grimpe sur une chaise et fouine partout, mais ne trouve rien. L'air abattu, il revient vers le canapé, pose ses appareils portatifs, regarde le whisky, jette un œil à son fils endormi et boit une rasade au goulot. Puis il repose la bouteille, regarde autour de lui.

« C'est un cauchemar, cette histoire. »

Il a une mine de dégoût en avalant son alcool à une heure si peu adaptée. Il tient la bouteille à la main et la jauge.

« C'est vraiment trop tôt... Je suis peut-être alcoolique, mais pas à ce point. »

Soudain emporté par une idée fulgurante, il file au garage en s'éclairant de sa montre-lampe supersonique. Il s'attaque aux nombreux cartons étiquetés « À jeter ». Il arrache le scotch, déchirant sauvagement ce qui résiste pour fouiller en projetant son faisceau lumineux en direction d'un amoncellement de métal culinaire.

« Ah, voilà ! Voilà, voilà !... »

Il brandit une vieille cafetière en fer-blanc.

« Voilà mon sauveur ! Ah ah ! Yes ! »

Tout fier de sa prise, le torse rebondi de joie, l'objet dans sa main gauche, il sort du garage pour retourner dans le living. Mathieu s'étire. Son père le regarde.

« Tu veux un café ? demande-t-il à son petit, qui le regarde avec des yeux ronds. Oui, non... Excuse-moi... Mais, moi, je vais m'en faire un bon », dit J.-P., agité, cherchant du café moulu pour la vieille cafetière abandonnée.

Il ouvre tous les placards, énervé, ne trouvant rien.

« Ben il y en a pas, de café, Mirette elle achète que des capsules, parce que maman et toi, vous aimez que les capsules... dit Mathieu.

– Et merde, évidemment... Eh bien on va les éclater, les capsules, ah ah ! » balance le père, révolté soudain contre ce qui jusqu'ici faisait partie de son plaisir indispensable.

Il fouille dans la réserve de petits cônes colorés soigneusement rangés par couleur, et les éventre sauvagement en en mettant partout, pour récupérer la poudre noire et la verser dans la cafetière archaïque.

« Mmmhh, ça sent bon... dit-il, envoûté par l'arôme. Merde, y a pas de flotte ! Tu sais où Mirette range la réserve de bouteilles ? » crie J.-P. à son fils qui, se souvenant qu'il n'y en a plus beaucoup, prie pour qu'il en reste au moins une, juste une seule, pour que son père ne se fâche pas.

Le petit traverse le living, la cuisine, va dans le débarras-garde-manger et aperçoit, soulagé, un pack d'eau entamé. Il prend une bouteille, qu'il apporte, victorieux, à son père.

« Merci », dit J.-P., dont les yeux ont grandi, allumés.

L'homme s'est approché de la cheminée et dévisse l'objet miracle. Il verse de l'eau dans le récipient du bas, puis emboîte les deux parties ensemble. Il pose le tout sur le feu, à même les braises.

« Un café cuit au feu de bois ! Nouveau concept ! Une grande première ! Tu vas voir », dit J.-P. en fixant son chef-d'œuvre.

Quelques minutes passent. L'homme ne décolle pas ses yeux de la cafetière. Au bout d'un temps assez bref qui lui paraît très long, il récupère l'engin et se brûle. La machine tombe dans le feu, il la rattrape et la sort des braises.

« Saloperie ! »

Il la dépose sur la table basse, va dans la cuisine, prend une tasse, revient s'asseoir, et y verse le liquide noir et fumant. Il prend la fine porcelaine blanche dans sa main, s'installe confortablement, redevenu l'étranger des jours anciens, absent, préoccupé, sombre, son téléphone et son iPad à la main. Mathieu tente un petit :

« T'as bien dormi, avec ton dos ?

– Quoi ?... Ah oui, oui, ça va, ça passe... Avec l'alcool, tout passe. Je crois que j'ai trop bu. Mal au crâne.

– J'ai fait des dessins...

– Hmm... marmonne J.-P. sans regarder les feuilles colorées que lui tend son fils, restant fixé sur le feu. Qu'est-ce qu'il y a ? Pourquoi tu me regardes ?

– Non, je te regarde pas. C'est le feu... Je regarde le feu...

– Oui... Il va pas tenir longtemps, le feu, si personne ne vient. C'est quand même invraisemblable, cette histoire.

J'ai un boulot de dingue, moi, tout peut pas s'arrêter comme ça...

– Ben oui... dit Mathieu, prêt à tout pour faire parler son père, pour qu'il reste avec lui.

– Tu sais pas ce que c'est, toi, t'es content, toi, t'es peinard. Mais les affaires, ça attend pas, pendant qu'on est bloqués, ça continue de tourner dehors, y a les rapaces qui vont venir picorer dans mon territoire, et c'est pas bon, tout ça.

– Peut-être qu'eux aussi ils sont bloqués.

– Oui, peut-être... Peut-être pas...

– Oui, mais c'est pas trop grave quand même...

– Ah ? Tu trouves ça pas grave, toi, qu'on te pique ton business pendant que tu peux pas bouger, que t'es paralysé ? Et que d'autres se font du beurre sur ton dos, s'en mettent plein les fouilles ?

– Ben non... C'est pas normal, c'est méchant, c'est comme de la triche, mais c'est pas très grave.

– Mais si on me pique mon business, tout ça c'est fini, tu sais... Tu te rends pas compte, toi, de ça, mais sans mon boulot, tout s'écroule, y a plus rien.

– Comme maintenant ?

– Comment ça, "comme maintenant" ? T'en as de bonnes, toi, tout est gelé, tout est mort, là, tout de suite...

– Ben non, là tout est bien, tu vois pas ?

– Ah bon ? Tu trouves pas que c'est sinistre, quand même, cette saloperie de panne, qu'on soit bloqués comme ça dans la maison ?

– Non.

– Forcément, y a pas d'école, et ça t'arrange ! »

J.-P. se relève en emportant deux bougies et ses machines.

« T'as qu'à dessiner puisque ça te plaît... Toute la maison !... Le salon, les bougies, le tunnel... et les Esquimaux dedans... » lui dit J.-P., méprisant, raflant la bouteille de whisky au passage.

Mathieu le regarde s'éloigner et tout en lui s'assombrit.

« J'ai besoin de solitude... Connerie de neige... » grommelle le père, qui disparaît.

Mirette

Mathieu regarde les deux bougies qui l'accompagnent, remuant gracieusement comme pour témoigner de leur soutien. Il se lève, en saisit une délicatement et va dans la cuisine manger quelques céréales dans son bol de la veille. Une fois le mélange englouti, ne sachant pas trop où aller dans le vide du silence, il retourne visiter sa caverne, au sous-sol. Tapi dans son endroit secret, rassuré par l'odeur de terre et la douceur de la température, il s'assied et écoute. Il perçoit des sons qui viennent de là-haut, qui se mélangent. Indécis, il revient sur ses pas, gravit l'escalier, la bougie dans la main, cherchant un coin où se poser dans le grand living, mais tout semble hostile. Perdu, il grimpe à l'étage et erre dans le couloir devant les portes fermées de sa mère, sa sœur, son frère, occupés par leurs ordinateurs et leurs solitudes. Il entre dans sa chambre, ouvre un placard et regarde ses jeux vidéo entassés. Il attrape sa PS One, puis referme les portes sans en prendre un seul.

Il observe la boîte que lui a offerte Mirette. Tous les petits papiers semblent attendre à l'intérieur. Il pioche une histoire. Mais il n'arrive pas à imaginer, à s'attarder sur une phrase, il ne les comprend plus. Sa voix n'a pas d'écho, personne n'est là pour écouter, pour partager.

« Mirette ? Pourquoi tu ne me parles plus ? » murmure Mathieu en fermant ses paupières.

Il prend un livre au passage et redescend dans le living. Le feu est le seul à faire un peu de mouvement dans la pièce. L'unique être vivant à tenir une conversation. Mathieu le regarde, sourit, ajoute une bûche.

« Tiens, lui dit-il en approchant les mains. T'es chaud, toi... Pourquoi t'es chaud ? Tu brûles... Pourquoi tu me brûles ? Tu brûles les arbres, aussi. T'es un salaud, alors, marmonne Mathieu. T'es un salopard. Mais t'es sympa aussi... comme le soleil... »

Mathieu approche une main des flammes pour voir jusqu'où il peut aller sans se faire mal. Il va s'asseoir sur le canapé, face au feu, et prend sa PS One. Flanqué devant lui, l'écran calé dans ses mains cache les flammes. Le feu et son mouvement semblent être des personnes qui font des signes derrière les images virtuelles. Les pointes des flammes dépassent au-dessus de la machine, comme si elles appelaient pour qu'on les rejoigne. Mathieu repose l'écran et s'avance vers le feu. Il s'approche puis s'éloigne de la chaleur dangereuse, dosant la température que le mouvement doré lui offre. Ne quittant pas la flamme des yeux, il se dirige vers l'escalier, monte dans sa chambre, et en ressort les mains chargées d'une palette de peinture et de pinceaux, qu'il pose sur la table basse. Il prend un verre, regarde la bouteille d'eau minérale qu'il ne veut pas gâcher, file vers le tunnel creusé au-« dehors » de la maison, y vole un morceau de glace qu'il met dedans et retourne vers le feu pour le faire fondre. Il s'installe sur la table basse, ouvre sa palette, trempe ses pinceaux dans la neige fondue en eau, et commence à dessiner le feu.

« J'aimerais bien être comme toi. Brûler et voir les gens... Les réchauffer. Bouger tout le temps, comme toi.

Tu danses », marmonne-t-il en faisant jaillir ses traits, librement.

Mathieu vibre dans les couleurs violentes qui se mélangent. C'est un feu d'artifice, un volcan, une bombe qui explose.

« On peut pas te dessiner, dit-il au feu, tu bouges tout le temps... »

Mathieu lâche ses pinceaux, se lève, et, tout en fixant la danse rougeoyante, il ondule son corps, pour imiter le mouvement des flammes.

« Comme ça... »

Il se déhanche et fait flotter ses bras, tanguer sa tête, dans tous les sens, doucement. Il s'arrête deux secondes et vérifie que personne ne le voit, puis continue à copier le feu.

« Hmmm... hmmm... vouooou... »

Il émet des sons qui sortent naturellement de lui, de son petit corps qui donne humblement de la chaleur, comme son copain le feu et ses copines les flammes. Son ballet avec le feu terminé, il regarde autour de lui, seul dans le living sombre. Son père n'est pas revenu. Ça lui rappelle « l'avant ». Cette maison semble vide, dans la pénombre, et le glace. Comme chaque soir, quand ses parents étaient sortis, que son frère et sa sœur se barricadaient dans leurs chambres. Il était tout seul, avec la télé qui le réchauffait comme elle pouvait, sans grand succès. La cheminée ne marchait jamais, les parents ne voulaient pas.

« Tu vas pas t'arrêter, hein ? chuchote le petit au feu. Tout est éteint, ici... Mais pas toi. Ils ne veulent pas que tu sois allumé d'habitude, et là, si... »

Mathieu a toujours eu froid dans cette maison, même si les radiateurs haut de gamme font leur travail. Mais

Mirette réchauffe tout autour d'elle comme un soleil. Quand elle part, la température baisse. Les week-ends où elle est absente pour s'occuper de ses deux vrais fils, Mathieu a appris à déjouer sa solitude.

Aujourd'hui, il sait que son père va revenir, il est obligé, il ne peut pas partir travailler, et, le cœur réchauffé, le petit se remet à chantonner. Il repense à son ange gardien, la revoit. Il ferme les yeux pour essayer de la faire réapparaître près de lui. Est-ce qu'elle n'a pas été engloutie par la neige ? Non, ce n'est pas possible, ça n'existe pas. On ne peut pas arrêter quelqu'un comme Mirette. Elle est invincible. Mathieu pense très fort en serrant ses paupières comme pour les sceller. Mirette est là, ses bras l'entourent. Frémissant, il peut sentir l'exact parfum de son étreinte, chaude et rebondie comme aucune autre, contre laquelle il se laisse totalement aller. C'est son refuge, son cocon, son nid douillet. Il peut décrire millimètre par millimètre le grain de peau de celle qu'il aime comme une mère, sa couleur, sa douceur, sa texture.

Tout petit, il observait, fasciné, les deux mains de Mirette tenir le livre qu'elle lui lisait. Elles lui faisaient penser à des fleurs sauvages du pays des fonds sous-marins. Deux fruits de mer, noirs comme la nuit, qui se découpaient, épanouis, sur le blanc glacé du livre. Toute son attention était absorbée par l'observation des mains de la liseuse plutôt que par le contenu de l'histoire elle-même. Mathieu, sourire aux lèvres, s'est assoupi, plongé dans ses songes, dans les bras de sa protectrice, qu'il entend lui susurrer une berceuse. L'enfant fredonne en même temps qu'elle, et il semblerait presque que c'est la voix de la femme qui sort de sa bouche.

Zygomatiques

La tête plaquée contre les touches du clavier, son casque muet sur les oreilles, Samuel s'est endormi. Sans doute dérangé par le silence de son casque, il se réveille, tapotant sur les gros écouteurs. Ses mains attrapent un petit sachet d'herbe. Il se roule un joint.

« Ah non, les mecs… Ça va pas être possible que toi, tu t'arrêtes, dit-il, très calme, à sa machine. Non non non… Tout qui pète, je m'en tape, plus de jus, je m'en tape, mais pas toi, OK ? Tu vas pas faire le mort. »

Il s'allonge sur son lit, casqué, et fume sa drogue, qui l'apaise et neutralise ses sursauts d'inquiétude. À moitié ensuqué, il a la sensation de détecter des bruits extérieurs qui l'éveillent doucement, lui le frustré d'ordinateur. Il dégage une oreille de son casque et écoute au-dehors, tentant de décrypter ce qui lui parvient, puis sort de sa chambre et pénètre dans le couloir vide de l'étage. Des rires résonnent plus distinctement dans le silence de la maison assoupie. Des petits sons étouffés. Du haut de l'escalier, Samuel observe son frère tout excité, éclairé par l'écran, dans le living noir, en train de se marrer tout seul. Il le regarde comme s'il n'avait jamais vu un tel phénomène et dégage sa deuxième oreille de l'emprise du casque inutile.

« Qu'est-ce que t'as ? » lui lance-t-il.

Mathieu jette un œil furtif là-haut et continue de rigoler en regardant son écran, faisant celui qui n'a pas entendu. Il en rajoute et est emporté par son propre rire.

« Ahaaaaa... ah ! Aha ah ! »

Il s'étouffe dans des secousses de joie, des convulsions d'excitation qui paraissent se décupler à chaque nouvelle image du film.

Samuel toise son frère d'en haut, interloqué par ce petit qui s'agite tout seul, et hésite à repartir dans sa chambre. Tremblant de froid, joint au bec, il amorce un léger sourire qui se dessine, timide, sur sa bouche fermée.

Sans qu'il le décide vraiment, il se laisse emmener par son corps, qui descend l'escalier, instinctivement. Arrivé en bas, il s'arrête et regarde le film, par-dessus l'épaule de son frère. Il s'approche doucement de l'écran devant lequel Mathieu est assis, comme un animal qui voudrait apprivoiser quelque chose ou quelqu'un d'étranger. Mathieu, toujours pris dans son tourbillon, sent son grand frère accroché par le film. Il perçoit des soubresauts de rire, des chuchotements de sourire.

« Aha ah ah ah ! C'est quand il revient des toilettes et que tout le monde l'attend, parce qu'il voulait pas y aller, en vrai, mais il arrivait plus à mentir, alors il a gagné du temps !

– Chut ! balance Samuel en train de se rouler un joint, j'entends rien ! »

Mathieu s'arrête net, et prie en secret pour que Samuel reste. Le rouleur de joint, harponné par l'agitation joyeuse de son petit frère et par les gags qu'il reconnaît, se gondole de plus en plus. Mathieu en rajoute, comme tout à l'heure avec son père. Il est persuadé que rigoler tient vraiment chaud et se transmet comme un rhume. Samuel veut allumer son joint et prend des allumettes sur la table basse où Jim Carrey se débat avec ses vérités au tribunal.

Sans regarder son frère, Samuel s'assied sur l'accoudoir du canapé, dans une position qui fait supposer qu'il ne va pas rester longtemps. Mathieu, tout content, est aussi très agité à l'intérieur. Le grand frère se lève, le petit le regarde, inquiet. Fausse alerte, le fumeur s'éloigne vers la cuisine mais en revient avec un paquet de cornflakes qu'il pose sur la table basse. Il s'assied alors sur un coussin du canapé, cette fois, plus près de son petit frère. Mathieu ne peut pas s'empêcher de sourire. Samuel tire sur son joint et grignote des morceaux de céréales. Le petit se remet à pouffer. Le grand aussi. Entraînés par leurs gloussements mutuels, retenus puis jaillissants, et emportés par la folie de l'acteur qui explose l'écran de son talent, ils partent dans un vrai concert de cris d'animaux fous. Leurs rires éclatent en pétards du 14 Juillet dans le living qui résonne soudain, accueillant la fête.

Isolé dans son bureau, J.-P. essaie de travailler à ses affaires en cours, son agence immobilière de luxe, et se noie dans les chiffres, les papiers, les calculs, les comptes, les taux de la Bourse, les articles cochés qu'il tente de lire dans sa pile de magazines économiques. Casque sur les oreilles, il pianote sur les touches de son ordinateur, en même temps qu'il feuillette les papiers, et n'arrive pas à se concentrer. Il regarde, rêveur, les photos d'une jeune femme, et caresse son visage de ses doigts gercés par le froid et les coups de pelle. Il affiche des prises de vue faites dans un hôtel de luxe. Il zappe entre souvenirs intimes et tentatives de résoudre les problèmes de travail, de spéculer, d'éplucher le courrier, mais il n'y arrive pas. Il regarde sa montre sans relâche. Elle marque 12 h 06. Puis, à 12 h 25, il ne comprend toujours pas pourquoi personne ne l'appelle. Interrompu dans ses pensées par des sons qui viennent d'en bas, J.-P. se lève en libérant ses oreilles des petits écouteurs. Il prend sa bougie, sort de son bureau et marche, énervé, vers l'escalier. Il aperçoit ses deux fils, déchaînés sur le canapé.

« Mais arrêtez de hurler comme ça ! Ho ! »

Les deux garçons sont rouge écarlate, secoués comme des asticots.

« Qu'est-ce que ça sent ? C'est toi qui fumes, Samuel ? relance J.-P. à qui personne ne fait attention. Samuel, je te parle !

– Quoi ? baragouine le grand sans regarder son père. Ben oui, c'est moi qui fume, qui tu veux que ce soit ? »

J.-P. regarde comme une hallucination ses deux fils assis côte à côte devant un film, dans le salon habituellement désert. Ils rient, ensemble. Il ne se souvient pas d'avoir entendu ou vu cela depuis très longtemps. Peut-être jamais. Le mot « Fin » s'affiche sur l'écran. Mathieu regarde Samuel, inquiet qu'il ne reparte dans son domaine, là-haut. Il appréhende le danger des séparations renouvelées.

« Je peux pas travailler, avec le raffut que vous faites. Qu'est-ce qu'il y a de si drôle ? demande le père.

– C'est *Menteur, menteur*, avec Jim Carrey, tu veux le regarder ? tente Mathieu, agité.

– Pas le temps... répond J.-P., las.

– À un moment, il va dans les toilettes pour se casser la gueule tout seul et il se tape partout, c'est marrant ! » lance Mathieu pour appâter son père.

Mais il s'arrête net en voyant sa mine hostile.

« Vous avez pas un petit creux, vous ? » insiste le petit comme s'il tendait un appât.

J.-P., descendu dans la cuisine, le regarde entre deux gorgées de vin, Samuel le fixe entre les volutes de joint.

« Si ! répondent-ils ensemble, mollement.

– Qu'est-ce qu'on a à vouloir bouffer comme ça tout le temps ? Je suis au régime, moi... ajoute J.-P.

– Ouais ! Bouffer, c'est bon ça ! » lance Samuel, assis, dans les vapes, casque silencieux sur les oreilles, regardant son père et son frère en fumant.

J.-P. et Mathieu ouvrent le frigidaire. Tout est noir. Mathieu va vite chercher deux bougies pour mieux voir à l'intérieur. Son père renifle et fait la grimace.

« Tout va pourrir. Il faudrait le laisser ouvert... » grommelle-t-il en sortant du jambon, du fromage et du lait.

Samuel va fouiller partout, aidé de sa lumière téléphonique, et récolte chips, gâteaux, cacahouètes des placards. Mathieu agglutine le tout sur un plateau. Le père débouche une bouteille et la pose sur la table basse.

« Hmm... » dit Mathieu, qui mangerait n'importe quoi tant que son père et son frère restent là, tout près, lui parlent, lui demandent des choses.

J.-P. prend le plateau et se dirige vers le canapé.

« Vous pouvez apporter deux assiettes et des couverts ? Et du pain ? Vous pouvez faire ça ? Samuel, tu veux du vin ?

– Ouah, du pinard ! Hé, je vais boire du pinard avec mon daron ! C'est une grande première ! Cool !... Merci la neige ! » crie Samuel, bien entamé par la drogue.

Ils s'assoient tous les trois autour de la table basse, sur le canapé et la méridienne. Samuel veut trinquer avec son père. Il le fait si fort qu'il casse le verre, va vite chercher un torchon, suivi de Mathieu qui veut réparer la bêtise au plus vite. Ils essuient tout, voulant effacer cette maladresse qui pourrait interrompre l'événement, et Samuel trinque plus doucement avec son père.

Les trois hommes ne disent rien, ils mangent.

Samuel et J.-P. forcent un peu sur le vin. Ils forcent sur tout ce qu'ils peuvent avaler. Ils mangent pour la première fois ensemble. Trois hommes de Cro-Magnon envahissent la pièce de leurs bruits de bouche, râles de satisfaction, rots furtifs et déglutitions. Ils dévorent comme des ogres, en échangeant quelques regards complices qui pointent, pudiques.

Mathieu laisse échapper un petit rot. Il pouffe. Sam se laisse entraîner, le père aussi. Ils sont soudain pris d'un fou rire. Ils se découvrent une allure de gros porcs et les deux grands, poussés par l'alcool, se marrent de la situation. Le petit Mathieu jouit de tout, chaque attitude de son frère qui est dans un drôle d'état, lui plaît, tout est beau, ils sont réunis. Il n'essaie même pas de parler, il n'a plus peur. Mais le repas est trop vite fini.

Imperceptiblement, le froid reprend son trône et remplace l'euphorie par un souffle glacé qui se développe dans les corps qui digèrent. Chacun pense bruyamment dans son coin. On revient à la réalité.

Qu'est-ce qu'on va faire après ce gueuleton ? On entend les questions intérieures que chacun se pose, les doutes, les retranchements, les gênes.

« On range les trucs dans le tunnel qu'on a fait ?... Ça va remplacer le congélateur, non ? marmonne Mathieu.

– Il est pas con, le brother !... dit Samuel, bien gris.

– OK», répond J.-P. d'un air sombre en massant de ses bras son dos douloureux pendant que Mathieu débarrasse la table.

Goliath

Les trois hommes forment une chaîne. Ils se passent les sacs et boîtes du congélateur de la cuisine et les agglutinent devant l'entrée, prêts à être disposés dans le nouveau « frigidaire-tunnel » fabriqué de façon artisanale. À l'aide de couteaux et pelles à tarte, ils taillent la glace et forment une étagère.

« C'est pas dégueu, not' truc... » lâche Samuel.

Mathieu contemple leur œuvre, tout heureux.

« On est des sculpteurs, comme les Esquimaux, ils font ça les Esquimaux !

– Ouais, ben l'Esquimau, il se les pèle quand même..., dit Sam. Et y a pas du son ?... Moi je peux pas tenir sans son, désolé...

– Non... répond J.-P.

– Ben si !... Y a Barry White, hein ? tente Mathieu en regardant son père engourdi.

– Mais Barry White, ça l'intéresse pas, dit J.-P.

– Hein ?... C'est qui ? demande Sam.

– C'est celui qui a repeuplé la France... répond Mathieu, tout fier, à son frère.

– Quoi ? Qu'est-ce que tu racontes ?

– Rien, marmonne J.-P.

– Vas-y, fais péter, dit Sam à Mathieu.

– J'ai plus beaucoup de batterie, répond le père.

– Ouais, ben moi, j'ai que dalle... »

Samuel enlève son casque et le pose sur un petit bureau dans l'entrée. J.-P. fait chanter Barry sur l'écran. Les trois sculpteurs improvisés continuent leur travail. Samuel remue son popotin au rythme sensuel de la musique soul et Mathieu l'imite.

« Ça réchauffe ! Yeah yeah ! »

Ils rangent toute la nourriture dans leur construction congelée.

« On regarde un autre film ?... tente Mathieu en faisant les yeux doux à son frère.

– Oh non, pas pour moi, on va se calmer un peu, OK ? J'remonte dans ma piaule, j'vais piquer un p'tit somme : j'ai fait trop de sport là, j'suis mort.

– T'as qu'à dormir ici ! insiste Mathieu.

– Hé, qu'est-ce que t'as ?... »

Mathieu s'assied, timide, et ne bouge plus.

« Tu remets la scène des chiottes, quand il se tabasse tout seul, s'te plaît ? C'est trop de la bombe, ce truc... » demande Samuel à Mathieu qui s'exécute.

Le père interrompt ses cent pas et regarde d'un œil furtif l'écran qui s'agite devant ses deux étrangers de fils. Il voit leurs dos se secouer de rires de plus en plus sonores, bruyants, dérangeants mais réchauffants. Les deux frères sont repartis dans des sons qui fusent et envahissent le salon, devant leur père qui les observe, muet. J.-P. attrape doucement une chaise rangée autour de la grande table immuable du coin salle à manger et la glisse vers le canapé. Il s'assied, son verre à la main, la bouteille à ses pieds, et regarde le film. Mathieu le sent, il sait que son père est là. Samuel pique du nez. Mathieu rit très fort pour le réveiller, mais son frère avachi ne réagit plus. Le film va jusqu'au bout, mais pas Samuel et son père, assommés par ce qu'ils ont ingurgité. Ils ronronnent comme des bébés ivrognes.

« Ça dort beaucoup, les grands, se dit Mathieu, ça boit, ça mange, ça dort. »

Il fixe l'écran qui déroule le générique et ne veut pas bouger, par crainte de briser quelque chose.

Panique nouvelle de faire le moindre faux pas qui changerait le cours des choses et provoquerait le départ de ses deux voisins. Il est raide comme un piquet, assis sur le canapé, heureux comme un petit oiseau blotti dans la chaleur de son nid, contre le ventre de sa mère.

Il tient comme ça près de vingt minutes, malgré sa position très inconfortable. Petit à petit, son corps se détend. Mathieu ose des mouvements imperceptibles et très lents. On dirait qu'il est dans un vaisseau spatial. Il se lève au ralenti, éteint le film, va mettre une bûche dans le feu. Il monte doucement dans sa chambre, telle une ombre glissante, ouvre son armoire, en sort une couette et une couverture, puis redescend et couvre méticuleusement son frère étalé de tout son long.

Il observe son père mal assis sur sa chaise luxueuse et réfléchit. S'il le laisse s'endormir totalement, il risque de tomber.

Comme un bâtisseur de cathédrale, Mathieu s'applique de toute sa petite masse à déplacer la chaise vers le canapé en retenant le corps de son père qui penche dangereusement de droite, puis de gauche. C'est si lourd qu'il a l'impression de faire glisser une statue en plomb incrustée dans le sol. Arrivé à destination, Mathieu, en nage, colle le corps mou contre l'accoudoir du canapé et le pousse pour qu'il tombe dedans. Réunissant toutes ses forces, il ferme les yeux et emmagasine le plus de souffle possible pour déplacer son père désarticulé. Soudain, les appuis lâchent, et le torse de J.-P. chute brutalement. Mathieu arrête net ses efforts de peur que le grand dormeur ne se réveille.

J.-P. dort toujours, un peu disloqué mais inconscient, se dit Mathieu qui, du coup, tente de le manipuler. Il faut essayer. Il tire le torse tordu sur le côté pour le mettre en bonne position dans le dossier. Il a une prise solide avec le blouson en doudoune que son père a enfilé, malgré le bruit qu'il fait. Les membres désorganisés commencent à retrouver une attitude plus normale, et Mathieu se surprend à jouer avec son père comme avec ses figurines de superhéros, puis finit par le caler à peu près correctement contre les gros coussins moelleux du divan. Trempé, mais ravi, il contemple quelques secondes son beau travail. Il pose délicatement la couverture sur le grand corps, puis s'assied sur la méridienne en face et regarde.

L'enfant sent son cœur qui bat, il sourit pour le laisser respirer un peu, pour libérer le nœud qui lui donne envie d'exploser de joie. Son père dort dans les bras de Sam ou presque. Redevenu un guerrier, protecteur et invincible, il voudrait que ce moment reste toujours là, et que son père et Sam ne se réveillent jamais. À bout de forces, le petit homme s'endort doucement, bercé par les souffles en concerto de ses deux voisins, hypnotisé par la danse du feu. Les flammes faibles et fines vibrent, on les entendrait presque appeler au secours. L'enfant gardien se bat contre le sommeil et regarde autour de lui. Il lutte contre quelques crampes puis ne bouge plus, ses paupières lourdes se laissant aller à leur chute. Dans le noir de ses yeux fermés, Mathieu voit Mirette qui lui sourit, et sa voix le berce :

« Bravo, Mathieu… *Sama raka modou, sama raka modou Yéwougham, Yéwougham Gnoundé yayou diné, gnoundé yayou diné Ding dong dong, ding dong dong.* »

Abandon

Là-haut, dans la chambre de Vanessa, Jenny et Franck vont s'embrasser enfin, après tout ce temps où leur vie a été si dure, toutes ces épreuves où leur amour n'a pas pu vivre comme il aurait dû... Ils sont enfin seuls et Jenny n'est plus à l'hôpital. Franck a enfin divorcé parce qu'il n'a qu'une parole, et Jenny le serre dans ses bras. Mais elle est timide et elle n'ose pas regarder Franck, l'homme qu'elle aime. Il y a tous ses démons qui vont revenir, peut-être qu'elle va redevenir alcoolique, peut-être que l'amour de Franck ne sera pas suffisant pour la sortir de ses penchants morbides.

« Regarde-moi, lui dit-il... C'est toi que j'aime, comme tu es, avec tous tes défauts... regarde-moi. »

Franck prend le beau visage de Jenny si tendrement, comme sait le faire cet homme si imprévisible, et il approche ses lèvres de celles de Jenny... Vanessa pleure de bonheur.

« Oh putain, c'est trop classe, oh c'est trop classe », marmonne-t-elle, attendant le dénouement du drame.

Soudain, plus rien. Noir brutal sur l'écran.

« Oh ! Non ! Hé ! Pas maintenant ! Hé ! Non ! »

Elle prend son ordinateur portable, le regarde, le soupèse, le secoue doucement, comme elle tenterait de réveiller quelqu'un.

« Hé ! T'arrête pas là, putain ! Non, c'est pas vrai ! Allez, s'te plaît, déconne pas, pas maintenant ! »

Angoissée, elle appuie sur le bouton d'allumage, au cas où quelque chose de miraculeux arriverait. Rien ne se passe. Elle appuie et appuie encore.

« Non ! Non et non ! Pitié ! Merde ! Merde ! Putain de jus ! C'est pas vrai ! Il va pas me faire ça, ce connard d'ordi ! »

Vanessa hurle, comme mordue par un chien enragé, elle écume, tape sur son lit, sort de sa couette, piétine sa moquette chic. Elle veut ouvrir sa fenêtre, qui est bloquée, la roue de coups.

« C'est pas possible qu'il y ait pas de jus, bordel ! Ça *doit* redémarrer, maintenant, ce putain de jus ! »

Elle attrape son ordinateur pour le jeter contre sa télévision, puis se ravise.

J.-P. se réveille en sursaut. Guidé par son réflexe conditionné, il regarde sa montre. 20 h 08. Son corps secoué a dérangé la position de son grand fils, imbriqué et abandonné dans le canapé. Mathieu se redresse, cotonneux. J.-P. regarde autour de lui, reprenant conscience de la réalité. Les hurlements cinglent les trois dormeurs, arrachés à leur torpeur.

Pam a vécu le même drame que sa fille et crie la rage d'avoir perdu tous ses amis d'un coup, éteints dans les machines. Les batteries ont lâché, les images ont disparu, sans appel. Aux cris des deux désespérées, à leurs pleurs, lamentations de toutes sortes et de toutes tonalités, s'ajoutent des écrasements d'objets contre les murs, des coups, d'étranges bagarres sourdes et confuses. Jusque-là silencieuses et absentes, téléportées dans d'autres mondes, les deux femmes redeviennent présentes et violemment bruyantes. J.-P. monte avec énergie vers l'étage. Samuel, mort de rire, reste assis, encore sous l'effet de son pétard récurrent. Mathieu suit son père, heureux que sa sœur et sa mère se manifestent.

Tous les deux se campent devant la porte de Vanessa. J.-P. cogne et essaie d'entrer, mais c'est verrouillé.

« Qu'est-ce qui se passe ? » demande-t-il, mi-inquiet, mi-agacé.

Il reçoit un silence en guise de réponse.

« Hoo !! Qu'est-ce que t'as Vanessa, c'est quoi ces cris ? répète-t-il.

– Plus de batterie ! crie Vanessa de l'autre côté de la porte.

– C'est pas la peine de hurler comme ça, c'est pas la fin du monde !

– Si, justement !

– Calme-toi, d'accord ?! T'es pas toute seule ! crie J.-P.

– J'm'en fous ! C'est nul de plus avoir de jus ! Qu'est-ce que je vais faire ! Je vais crever, c'est pas possible ! »

Elle tape encore contre les murs, fiche des coups de pied sur le lit, s'abandonnant à une hystérie surréaliste de fille malade, en pleine crise de panique... Ne sachant pas quoi faire pour calmer l'animal, J.-P. reste de l'autre côté et écoute les coups portés dans la chambre, les projectiles lancés, puis abandonne, comptant sur la fin du caprice.

Il entend sa femme geindre et reste quelques secondes suspendu dans son trouble, sans savoir quoi faire. Pam sort brutalement de sa chambre et se cogne dans son étranger de mari.

« Ahh !... Mais qu'est-ce que tu fous là ? »

J.-P. n'a pas le temps de répondre.

« Bon ça a assez duré, cette connerie, continue-t-elle, tu vas quand même te démerder pour qu'on ait au moins du courant, j'espère, non ? crache-t-elle à J.-P. en retournant dans sa chambre.

– Hé, mais arrête ! Comment tu me parles ! » crie l'homme, piqué.

Pam part dans un rire sifflant.

« Ah ah ah ! Rhoooo ! Rhaaa ! Quelle réaction... RRRRR !... Ouh ! J'ai peur ! Ouah ouah ouah !... Allez continue !... grogne ! Allez, wouf wouf, grogne !... Vas-y !

– T'es complètement malade... T'as bu ou quoi ? Qu'est-ce que t'as ingurgité ?

– Oui ! Je me suis bourré la gueule ! Et alors ! Ouah ouah ouah ! Allez, vas-y, montre que tu sais sortir les crocs ! Vas-y ! J.-P. pas content, J.-P. va punir la vilaine ! Oh là là ! Wou wou ! »

J.-P. regarde sa femme, estomaqué par son attitude. Il ne bouge pas. Assise sur son lit, dos à J.-P., elle se ressert un verre, le boit cul sec et le lance d'un jet laser contre la vitre de sa chambre.

« Si tu crois que je vais rester enfermée ici, tu peux te gratter, pauvre type !... C'est de ta faute ! J'étouffe, je resterai pas ici, tu m'entends ? On a plus de jus ! Non mais je rêve ! Comment on peut en arriver à ne plus avoir d'électricité ? C'est minable ! T'es même pas capable de nous sortir de là ! Mais à quoi tu sers ? »

J.-P. sort, referme la porte et sursaute au choc d'un projectile auquel il a échappé et qui s'est manifestement explosé sur le bois de la porte, à l'intérieur. Pam n'a pas fini de cracher son venin. La porte s'ouvre, elle sort comme un boulet de canon et se précipite sur le dos de son mari en le rouant de coups. Il se retourne et tente de neutraliser sa femme, qui se déchaîne. Pam agrippe tout ce qu'elle peut, cogne, griffe, arrache la chemise, le pull, le blouson, l'écharpe, les cheveux, gifle. J.-P. tente de parer, retenir, surtout ne pas la frapper, surtout ne pas cogner, ralentir, calmer la furie, mais sans succès. Il est blessé, il veut que tout ça s'arrête. Il abandonne et se laisse cogner. Pam, ne ressentant plus de résistance, ralentit toute seule le rythme de ses coups. S'il n'y a personne en face, ça ne l'intéresse plus, rien ne pourra sortir d'elle sans adversité. La femme a besoin d'un ennemi palpable.

Elle sonne le dernier coup de gong en flanquant une raclée à son mari et repart dans sa chambre, qu'elle ferme à clé.

Samuel et Mathieu, témoins de la scène sans l'avoir vue, sont figés sur place, malgré le film en mouvement qu'ils regardent. Le grand pouffe de rire, le petit pleure en silence.

« Tarés, les vieux... Elle est tapée, la daronne : il faut qu'elle arrête de tiser... Hé, qu'est-ce que t'as ? Tu vas pas chialer pour leurs conneries ! Nous, on est tranquilles, on a un bon film, et t'inqu... »

Samuel est interrompu par l'arrêt brutal des images. Plus rien. Silence. Il se prend la tête dans les mains.

Mathieu se dit qu'il va peut-être hurler lui aussi. Il a mal au ventre, et voudrait tout de suite faire quelque chose pour que Sam oublie ce qui se passe.

Une vague de froid semble traverser la pièce, chaque meuble, chaque objet, chaque corps des deux jeunes garçons. Seul le feu rayonne.

« Il faut s'occuper de lui, tout de suite », se dit le petit qui se lève d'un bond pour aller chercher du bois.

Il se cogne, se fait mal aux genoux, revient sur ses pas, prend une bougie, fébrile, puis retourne dans l'antre noir du garage. Il s'avance vers le tas et saisit une bûche.

« Une, deux, trois, quatre, cinq, douze… vingt-deux… vingt-deux bûches ! Ouaaaiiis ! » se dit-il pour célébrer la réserve de bois.

Il en prend deux et retourne dans le living. Sam, casque sur les oreilles, isolé pour ne pas exploser, a les yeux fermés. Mathieu dépose une bûche dans le feu et s'assied près de son frère, devant l'écran noir. Il reste immobile quelques secondes, puis se lève. Il marche dans la pièce et percute violemment la méridienne qui est en face de son frère, dont les yeux s'entrouvrent de temps à autre. Il se relève et grimace, il a mal, mais reprend sa marche et recommence contre la grosse commode du salon en métal et bois, puis contre les murs, tombant à chaque impact. Il se tord de douleur, mais se redresse. Son frère enlève son casque.

« Hé ! Ça va pas ? Qu'est-ce que tu fous ? T'es cintré ?

– Haaaa ! crie Mathieu qui continue à projeter son corps partout, à se frapper la tête contre toutes les parois possibles en faisant le clown déjanté.

– Hé, mais arrête ! Tu me fais flipper ! T'es con, arrête avec ça ! » insiste Samuel, rattrapé par quelques ricanements.

Mathieu est en pleine imitation de Jim Carrey quand son père, blessé, redescend, abattu, dans le living, qu'il traverse pour aller s'asseoir seul dans la cuisine.

« C'est la merde. C'est ce qu'on peut appeler la merde. »

Mathieu et Samuel se retournent, refroidis, interrompus dans leur élan. Le petit garçon va rejoindre son frère, comme pour se ranger, ne pas se faire remarquer.

Igloo

« Si personne ne vient vite... je sais pas ce qu'il va se passer... » dit J.-P., le front lourd.

Les deux enfants regardent dans le vide et n'osent pas bouger. Ces quelques mots d'apparence banale, qui peuvent être prononcés sans qu'on leur prête une gravité particulière, restent dans l'air, suspendus comme des fantômes menaçants, s'imprégnant dans l'atmosphère comme des microbes ou un gaz nocif, allant pénétrer chaque recoin de l'espace meublé, chaque infime poussière ou fil d'étoffe, se faufilant dans la moindre strie boisée, entre les mailles du tapis, dans les vêtements, les pores de la peau, le cœur. Ces paroles forment une contamination invisible mais très sensible. L'air pèse une tonne d'un seul coup, Mathieu fixe le feu, Sam le plafond, et J.-P. ses pieds. Il remarque que ses jambes ont la tremblote. Intrigué, presque amusé, il regarde de plus près, soulève ses membres du sol pour vérifier s'ils tremblent encore en l'air, constate que non, puis il les repose par terre. Ses pieds sont à nouveau agités par des secousses incontrôlables. L'homme ne comprend pas, se lève, sentant le sol vibrer sous chacun de ses pas, va vers le tunnel et colle son oreille contre une de ses parois.

« Qu'est-ce que c'est que ce truc ?... C'est des hélicos, non ? Vous sentez ? Oui... Beaucoup d'hélicos... Ils nous cherchent. »

J.-P. s'interrompt et colle encore plus près son visage contre le mur glacé. Imperceptiblement, sa joue tremble. Il touche la glace, frémissante elle aussi. Les secousses sont répétées et de plus en plus grandes.

« Hé, dit Sam, j'ai une hallu ou le lustre a la bougeotte ? Regardez, il se dandine ou quoi ? C'est quoi ce truc... ? »

J.-P. lève les yeux vers l'immense objet suspendu au plafond, boule ronde faite d'une multitude de perles de verre de toutes les couleurs. Malgré l'obscurité ambiante, le grand objet de luxe se distingue par ses étranges mouvements. Il tangue.

« Hé, y a les murs qui bougent ou c'est moi qui débloque ? » crie Sam, qui s'est levé.

Mathieu se précipite dans ses jambes, tout secoué. J.-P. les rejoint, avec un élan de panique dans les yeux qu'il tente de dissimuler.

« C'est pas possible...

– Quoi ? dit Sam, figé.

– Rien. Il faut aller en bas... Allez, en bas, au sous-sol avec Mat, prenez des couvertures, ce que vous voulez, mais dépêchez-vous, je vais chercher votre mère et Vaness. Allez, vite ! Prenez de la bouffe aussi, et de l'eau, et vous jetez tout ça en bas... Vite... Vite !

– Mais dis-nous ce qui se passe, au lieu de nous speeder comm...

– Ne discute pas ! Fais ce que je te dis, tu prends ton frère et le maximum de ce que vous pouvez, et vous allez en bas », crie J.-P., soudain devenu d'une autorité imparable.

Il grimpe l'escalier en tremblant, perd l'équilibre, tombe, se redresse et court dans le couloir.

« C'est quoi ce merdier ? » crie Vanessa, qui sort de sa chambre.

– File en bas rejoindre tes frères, va vite dans la cave avec ta couette et deux trois trucs, vite, vite, dépêche-toi... C'est une avalanche. C'est une saloperie d'avalanche.

– Oh merde... lâche Vanessa, déséquilibrée. Mais la maison est construite pour résister, non ?

– Vous m'obéissez, ou quoi ?

– T'obéir, pourquoi, le mégalo ? crie Pam en sortant de son antre, vacillante. Y a une avalanche, et alors ? On en a déjà eu, des petites avalanches, et on n'est pas morts, que je sache ?... balance-t-elle en se tenant au mur du couloir. La maison a été conçue pour résister, non ?... Alors ! Si vous voulez vous enfermer comme des rats au sous-sol, libre à vous, mais moi... »

Pam glisse et tombe sur les fesses. Humiliée, elle se redresse avec toute sa superbe.

« Moi, je reste dans ma chambre... » dit-elle, chancelante comme une funambule en déséquilibre sur son fil.

« Moi pareil ! » dit Vanessa qui a tout suivi.

Le père attrape sa fille par le bras, se tenant aux murs, à la porte de la chambre. Sa fille se débat, J.-P. lâche prise, et elle lui claque la porte au nez. Le père, désarmé, a du mal à respirer. Le sol tremble si fortement qu'il est obligé d'avancer à quatre pattes dans le couloir. Il se laisse glisser sur les fesses dans l'escalier luxueux secoué comme le reste du living, prend deux bougies au passage, va fermer la porte de l'entrée en s'y reprenant de nombreuses fois, regarde autour de lui, oppressé, se précipite vers la cuisine, traverse le débarras, et court rejoindre ses fils au sous-sol, très inquiet de laisser les femmes à l'étage.

Sam et Mat sont ensevelis sous leurs couettes. Le petit est blotti contre son grand frère. Ils sont recroquevillés comme des animaux traqués. J.-P. s'assied tout près d'eux, s'engouffrant sous le bouclier de duvet, et les prend dans ses bras. Les trois corps sont en boule dans la petite cave, moins atteinte que le reste de la maison. Ils ferment les yeux et Mat se met à chanter doucement. Totalement cachés sous les couvertures et couettes, leurs souffles chauds se mélangent sous l'abri improvisé. Mathieu ne comprend pas pourquoi, soudain, il n'a plus peur, malgré les bruits sourds de chutes d'objets et le fracas effrayant qui cogne au-dessus de leurs têtes. Il sent quelque chose dans son cœur agité, mais ce n'est pas de la panique. Il croit reconnaître une joie insensée, une sorte de griserie comme il en a eues devant l'arbre de Noël au petit matin quand il découvrait les montagnes de cadeaux. Oui, c'est cette image qui lui revient, puis celle de Mirette qui sourit, puis de ses copains d'école, surtout Gilles qui joue du piano, des gâteaux de Mirette, de ses anniversaires. Il sent son père et son frère si proches qu'ils paraissent imbriqués les uns dans les autres. Il ne sait pas à qui appartiennent les bras qui le serrent, mais jamais aucun bras ne l'a pris avec tant de force et de violence rassurante. Il perçoit des secousses qui semblent venir de son père, qui a du mal à respirer. C'est difficile de comprendre clairement ce qui se passe. Tout est précipité, bousculé, confus. Au bout d'un temps indéfinissable, le silence s'impose tout à fait.

« ... Je crois que c'est fini », dit J.-P. doucement, en sortant la tête de l'amas de laines et duvets, dégageant les trois corps qui respirent à nouveau à l'air libre de la cave.

Ils se regardent. J.-P. fait de drôles de râles en respirant.

« Ça va, papa ? demande Mat.

– Oui, oui... répond-il en se levant.

– Oh putain, ça va être chaud, non ? demande Sam, jamais démonté. Déménagement gratos... le living revu et corrigé !... Nouvelle déco ! Oh, la vache ! J'ai cru qu'on y était, là !

– Où ?

– Ben, finito, quoi !... Le grand saut !

– Arrête ! » crie le père en montant les marches en bois qui mènent au living, suivi de ses deux fils.

Effectivement, la décoration a été « revue et corrigée », mais pas autant que les secousses le laissaient présager. Le grand lustre en cristal, décroché, gît, éclaté, au sol. Une bibliothèque s'est renversée, étalant tous les livres et CD sur le sol brillant.

« Oh... Décevant... lâche Samuel en découvrant l'étendue des dégâts, trop petite à son goût.

– Heureusement... Avec tout le fric que ça nous a coûté pour que la maison tienne... Y a pas d'avalanches ici, normalement. Mais bon, on en parlera avec l'archi quand on sera sortis de là... » dit J.-P. en voulant ouvrir la porte, qui lui résiste encore.

Il tire dessus de toutes ses forces et elle cède. Un nouveau mur blanc lui fait face. Le tunnel courageusement creusé a été rempli par une neige fraîche. Moue de découragement des trois spectateurs.

« C'est pas vrai ! Bon... Il faut recommencer pendant que c'est encore de la poudreuse », dit J.-P.

Les garçons regardent la pièce. Rien n'a vraiment bougé. Quelques chaises sont tombées, des lampes posées ici et là, mais les autres, lourdes et arrimées aux murs de la grande pièce, n'ont pas chuté. Les garçons font le ménage, déblayant la casse, les morceaux de verre du lustre, réunissant les livres, pendant que J.-P. va voir ce que sont devenues sa femme et sa fille. Il toque à la porte de Vanessa.

« Oh, mais lâche-nous ! J'ai rien, et ça m'a éclatée ! Au moins, il se passe quelque chose ! Foutez-moi la paix, c'est tout ce que je demande !... »

J.-P. recule de la porte décidément hostile, et, avant même qu'il n'ait le temps de frapper à celle de sa femme :

« Ça va ! J'suis pas encore morte ! Même pas une égratignure ! Je l'avais dit qu'il fallait pas s'affoler, mais personne ne m'écoute dans ce trou ! » crie Pam.

J.-P. redescend vers ses fils, qui terminent de nettoyer dans l'obscurité totale. Sentant ce qui se passe, il approche une allumette d'une des bougies. La flamme agonise et trahit définitivement le manque d'air.

« Les garçons... Laissez ça. Il faut creuser... On recommence le tunnel.

– Oh non !... répond Sam en toussant, fatigué d'avance.

– On n'a pas le choix. Ça doit être plus mou, c'est de la poudreuse. Mais il faut qu'on gratte pour trouver de l'air, avec un peu de chance on va trouver une bulle. Oui, on va trouver une bulle... »

J.-P. souffle en disant ça, oppressé mais prenant sur lui. Il attrape d'autres pelles dans le garage, les donne à ses fils, et tous les trois attaquent le nouvel obstacle.

« Et les gonzesses, là-haut ? demande Sam.

– Elles vont pas tarder à descendre et elles creuseront avec nous, ou là-haut... dit J.-P. doucement, comme pour économiser de l'air. Et on arrête de parler... OK ? » dit-il avec un sourire forcé.

Sam et Mat décuplent d'énergie.

La paroi cède vite. Ce mur n'a rien à voir avec le précédent. Cette neige-là est tendre et se laisse entamer comme un gâteau. L'espoir renaît, et J.-P., qui respire avec peine, est encouragé par la vivacité de ses fils. Ils ne se parlent pas, mais l'énergie farouche passe entre eux comme un fluide bienfaisant. Sentant que l'oxygène diminue au fur et à mesure de chaque coup de pelle, une sorte de volonté explosive jaillit des trois hommes, et le tunnel s'agrandit très vite.

« Hé ! Hé ! J'ai trouvé un trou ! J'ai une bulle, hurle Sam, qui est le plus avancé des trois. Regardez ça ! C'est de la balle ! C'est magnifique ! »

J.-P. et Mat accourent en glissant et restent béats devant une sorte de grotte de neige appuyée sur un long rocher, d'où jaillit une lumière argentée surprenante.

« Heureusement qu'on l'a pas fait enlever, ce caillou. Ils voulaient l'enlever... Je me souviens qu'ils voulaient l'enlever, souffle J.-P. En fait... C'est moi qui voulais l'enlever. »

Soudain, l'homme, ému, baisse la tête et se met à étouffer. Sam se penche vers lui :

« Hé ! Le daron ! qu'est-ce que t'as ?... Allez, c'est rien, calme-toi !... Calme-toi, j'te dis ! Et tu m'écoutes, maintenant... Tu respires et t'arrêtes de gamberger. Voilà, on a trouvé une bulle, c'est de la bombe, et tout va bien. OK ? » dit-il doucement à son père, allongé à même la neige, les yeux fermés, qui essaie de retrouver son souffle.

Mat assiste Sam comme une infirmière, et imite tous ses gestes de réconfort.

« Ça va, dit J.-P. Ça va mieux, merci... C'est bon maintenant. Avec un peu de chance, y a de l'air qui va arriver jusqu'à la maison. Jusqu'à nous... C'est bien.

– Hé, mais c'est cool ici comme planque, non ?... On fait du feu, il fait presque jour, ça fait du bien, non ? demande Sam.

– Oui... oui, répond Mathieu, qui n'a pas trop envie que tout rentre dans l'ordre.

– T'as raison, dit le père, on va déménager dans la bulle, et on verra si les femmes suivent ou pas. »

Mathieu, content de ce renouveau de joie commune, s'empresse d'aller chercher ses petites affaires, et tous les trois installent un nouveau campement dans ce qu'ils baptisent « l'igloo ».

Crise

Vanessa, assise sur son lit, se regarde avec une moue de dégoût dans le miroir de son armoire et jette contre son reflet ses poupées en rafales. Elle s'arrête sur une grande blonde. Elle l'observe et pleure. De ses doigts fins au vernis qui s'épluche, elle touche le visage en plastique souriant et le serre contre elle.

« Je veux pas rester ici, je veux sortir... On va sortir... On va sortir... » dit-elle dans ses sanglots et ses tremblements, de plus en plus violents.

« Toi, t'es sympa. T'es ma préférée. T'as toujours été ma préférée. Pas comme ces saloperies qui nous lâchent ! » crie-t-elle en balançant ses téléphones et jeux vidéo partout autour d'elle.

Son lit est débarrassé. Place nette. Soudain redevenue une petite fille, elle serre sa poupée contre elle et caresse ses cheveux. Son corps est pris de secousses si fortes qu'elle ne peut plus articuler et se raidit violemment, écrasant sa petite confidente en silicone contre sa poitrine, comme une bouée de sauvetage qu'elle ne veut pas lâcher. Emportée par des convulsions de plus en plus rapides et saccadées, elle tombe de tout son long sur la moquette mauve de sa chambre.

Un grand bruit sourd a résonné dans toute la maison.

« Qu'est-ce que c'était ? demande J.-P. en nage, sa pelle à la main, revenu du débarras où il a commencé à fendre la neige devant la petite porte d'entrée derrière la cuisine, pour tenter une aération.

– J'sais pas… La daronne qui s'agite… » répond Sam, qui tente de faire un feu dans l'igloo avec son petit frère.

J.-P. se nettoie le visage avec un gros bloc de glace pour interrompre les petits écoulements de sang qui lui rappellent sa défaite ridicule. Puis il croque dedans, énervé. Sam fait signe à son frère de ne pas faire gaffe et de rester tranquille près du feu qui commence à prendre vie dans l'abri blanc. Il se refait un joint.

« Putain, heureusement que j'ai ça… Ça commence à faire long, non ? » scande-t-il en remettant son casque, tirant une taffe.

Mathieu n'aime pas ce qui se passe. Il se lève très doucement, sans un bruit, comme un fantôme rasant les murs, il monte l'escalier, va dans sa chambre et prend quelques livres. Revenu en bas à côté de Sam emmuré dans son état comateux, il ouvre son livre, *Le Loup Noël*, et se lit à lui-même l'histoire, en chuchotant. Son frère se lève et va fouiller dans le garage. Sans doute à la recherche d'autres jeux.

« Je t'avais dit de mettre une cheminée dans ma chambre ! balance Pam du haut de l'escalier. Je ne peux pas rester dans cette boîte sinistre, j'ai autre chose à faire ! »

Les mots de la femme, jetés dans l'espace du living, résonnent comme des milliers de dés balancés dans le vide.

« Hé oh, y a quelqu'un ? Il est où le grand manitou ? Il est où le chef des Schtroumpfs ? Hé oh, les garçons ! On répond à sa mamaaaannnn ?! Maman a froid ! Maman veut se réchauffer !

– S'il te plaît, arrête », marmonne J.-P., dont la tête apparaît hirsute et épuisée.

Un grand silence suit, rompu par un claquement de talons rythmé. Pam est arrivée en bas et arpente le living, Cruella en peignoir de soie, bottes à talons, cigarette au bec, manteau de fourrure, lèvres rougies par la laque cerise plaquée sur sa fausse bouche, botoxée façon cul de babouin. Elle s'arrête quelques secondes, regarde autour d'elle, scrute le tunnel de l'entrée.

« Oh mais quel bordel, ici… Bravo, c'est magnifique ! Oh ! Un joli tunnel bien profond !… Et il va où, ce beau tunnel ? » demande Pam en s'engageant à l'intérieur, se tordant les chevilles.

Arrivée dans l'igloo, elle s'arrête et ne peut pas cacher son admiration sincère, même si elle la transforme en injures sarcastiques.

« Wouaouh ! Mais c'est sublime ! Beau travail, les garçons ! »

Elle s'approche du feu, frotte ses mains fanées malgré leur manucure appliquée en frôlant les flammes, puis se dirige vers le minibar installé provisoirement par J.-P., à côté de sa couche de fortune. Elle en sort une bouteille de whisky et se sert un verre.

« Il fait meilleur, ici… Vous auriez pu nous le dire, bande d'égoïstes. Ah ah ah ah ah ! Y a une petite place pour moi ?… »

Mathieu, glacé, se pousse un peu, s'approchant du corps de son frère qui lui manque soudain beaucoup. Pam dégage un parfum d'alcool et de désespoir. Samuel se lève, fuyant, et monte l'escalier. Mathieu reste coincé avec son livre. Il sent le regard de sa mère par-dessus son épaule.

« "Le loup Noël regarde les vitrines de Noël", oh, ben il en a de la chance… Pourtant, ils ont de la neige eux aussi dans ton livre, hein mon chéri ? Mais ils sont pas coincés comme des rats... comme nous ! Et alors ?... Qu'est-ce qu'il fait, le loup ? Hein, mon chéri ? Tu me racontes l'histoire... »

Pam imite une petite fille grimaçante. Elle minaude entre deux gorgées d'alcool.

« ... Euh... Il va essayer de rapporter des cadeaux à ses enfants, mais ils ont pas d'argent... C'est pas comme nous quand même, baragouine Mathieu, parce que nous, on en a beaucoup.

– Ah oui ? Oui... Tu as raison. On en a pas mal, oui. Mais il est où ? Hein ? Demande à papa où il est son gros argent... demande à papa King Kong ! »

Pam se lève en brandissant son verre et tout son corps vers le plafond, vers un interlocuteur imaginaire.

« Hein ? Il est où, notre argent ? Le fric !! Hé, où t'es ?! Houhou !... Ben on sait pas... Ah ah ah ! Le coquin !

– "Le loup-Noël entre dans le magasin, coupe Mathieu, et regarde les jouets avec envie. Il ne sait pas ce qu'il pourrait rapporter à la maison. Une vendeuse approche et lui demande..." » continue-t-il, paniqué.

Sam, resté assis sur les marches de l'escalier clair, est soudain pris d'un fou rire qu'il réprime en s'aidant de son casque, qu'il remet. Pam braque sa montre-lampe sur lui et le regarde, les yeux vides. Elle se lève soudain, va dans la cuisine, prend un sac de courses à roulettes rangé sous l'évier et y plonge sa bouteille d'alcool. Puis elle sort des chips bio d'un placard, des crackers bio, du tofu bio et elle remonte, cognant les marches en métal de sa charrette.

« Même sans image, mon ordi est plus intéressant », assène-t-elle en disparaissant vers les ténèbres du couloir, là-haut.

J.-P. revient dans l'igloo, près de ses fils, comme pour chercher de la chaleur. Il plonge les yeux dans les flammes. Mathieu le regarde et ne sait pas quoi faire. Tout est bizarre. Mais tout va aller mieux, pense-t-il en se levant.

« J'aimerais bien aller à l'école demain... dit-il en s'approchant de son père, debout comme lui.

– Oui, enchaîne J.-P., moi aussi. »

Alignés devant le feu, ils fixent les flammes. Le petit jette un œil furtif à cette grande personne, à côté de lui. Son père, qu'il voit tant depuis quelques jours. Ses yeux balaient sa main, cette grande main pendante, qui arrive juste au niveau de sa tête. Du haut de son petit corps, l'enfant regarde cette chose qu'il a envie de prendre mais qui lui fait peur. Il ne l'a jamais vraiment tenue dans la sienne. Il ne la connaît pas, il ne sait pas comment elle va réagir. C'est une main qu'il a vue téléphoner, tapoter sur la télécommande de la télé, sur les touches du clavier d'ordinateur, prendre des verres de vin, manger avec une fourchette, classer des papiers.

Il l'a vue faire plein de choses, mais être imbriquée dans la sienne, non. Il voudrait tellement se réchauffer, et plonger sa main à lui dans cette grande-là, qui doit être chaude comme un bon radiateur. Il tend alors une de ses petites mains glacées vers le feu et la réchauffe, l'offrant aux flammes. Son père le regarde. Dans un mouvement qui lui échappe, J.-P. l'attrape et la frotte dans les deux siennes. Mathieu sent son cœur qui tape comme un tambour.

« T'as pas faim ? demande J.-P.

– Euh, si », répond Mathieu, qui dirait oui à toute proposition, serrant la main de son père pour la garder encore un peu.

Sam, joint à la bouche, se tape le ventre.

« Faut bouffer, moi j'dis. C'est une super occupation. On va devenir des sumos, on aura jamais froid... »

Mon ordi

Pam est dans son lit, accrochée à son téléphone comme si sa vie en dépendait. La petite lumière de l'écran éclaire son visage tendu, transformé en face effrayante de vieille folle devenant mauvaise dans l'épreuve et l'alcool. Elle s'acharne avec ses faux ongles sur les touches du clavier pour arriver à passer outre le réseau muet. Le petit cadre métallique lumineux ne répondant décidément pas, elle se lève d'un bond et marche en fixant son petit appareil, jusqu'à ce que les barres de connexion s'affichent suffisantes. Elle piétine, obsédée par le cadran, le brandissant devant elle façon radar. Et, comme si elles se jouaient de Pam, les petites barres apparaissent et disparaissent aussitôt. C'est un micro-ballet, une partie de cache-cache entre l'engin et sa propriétaire, destinée à la rendre folle.

Soudain, c'est l'armistice, les barres restent affichées sur l'écran. Pam, dans un état d'hystérie au-delà de l'imaginable, les bras en l'air, tenant l'appareil, s'arrête brusquement et les fixe, se figeant littéralement. Elle compose le numéro de Carl sur les touches perchées au-dessus de sa tête. Heureusement, elle a l'habitude de ces chiffres qu'elle connaît parfaitement, sinon elle n'aurait pas pu les identifier, ne distinguant pas grand-chose dans sa chambre obscure. Elle pianote sans faire bouger le téléphone suspendu et attend, en prononçant un « Je vous salue, Marie » suppliant.

Toute seule, dans la pénombre de sa chambre, elle prie, l'écran de son téléphone brandi en l'air : « ... Le Seigneur est avec vous, vous êtes bénie entre toutes les femmes... », attendant qu'il lui livre la voix de son amant, là, dans sa main.

Elle croit entendre un petit son, une voix, oui, c'est lui... Non, c'est lui... Oui... Non... Tut, tut, tut, c'est coupé.

« Saloperie de téléphone ! »

Pam peste, enrage, mais, ne perdant pas totalement le contrôle, piétine encore et encore dans la pièce sombre pour retrouver une miette de son ami le réseau. Dans sa recherche aveugle, elle sort de sa chambre et marche toute seule dans le couloir. Elle entre dans la salle de bains, sans savoir vraiment où elle va, juste dans le but de voir s'afficher une barre. Elle tente le numéro de son chirurgien, dieu Doc, Charles. Ça ne passe pas non plus. Elle revient dans sa chambre, fait les cent pas, ouvre une fenêtre, tombe sur un mur blanc.

« Mais enfin, c'est pas possible que tout s'arrête comme ça ! »

Agitée, elle fouille dans son sac à main et en sort des photos que lui a données son docteur. Elle se regarde à l'aide du faisceau blanc de sa montre sur le papier glacé imprimé de son visage tel qu'il est maintenant, et des prévisions de ce qu'il devait être après l'opération. La femme tire sa peau, pince des plis de chair entre ses doigts, se donne des claques, boude, se lève et va dans sa salle de bains, sans lâcher son téléphone au cas où il se manifesterait. Elle fige son regard dans son reflet, campée devant la glace au-dessus du lavabo.

« Non, madame, vous ne vieillissez pas, lui dit toujours Mirette. Il faut arrêter de dire le mot “vieillir”. Si vous le dites trop souvent, il prend de l'importance et il se réalise. Il grossit dans votre esprit et le pénètre comme un serpent venimeux qui glisse dans votre sang, partout, dans votre cerveau... Il finit par manger votre esprit. »

Mirette a toujours des explications invraisemblables pour toutes les questions que lui pose Pam. Après deux, trois coups de brosse dans ses cheveux savamment décolorés, elle arpente sa chambre, appuie nerveusement sur les boutons de la télécommande, sans succès, la jette, va fouiner dans un tiroir, en sort une grosse bougie, l'allume, s'allonge, prend un magazine et lit à la lueur des reflets de la flamme projetés sur les murs de la chambre à travers le bougeoir ciselé. La femme dépose soigneusement son smartphone sur son oreiller à côté de son visage, refoulant un sanglot de rage et d'impatience, attendant qu'il renaisse. Elle observe quelques secondes l'objet de tous ses désirs et se recroqueville, essayant de se détendre avec une pile de journaux féminins. Prise de quelques frissons, agitée, elle sort d'un tiroir un tranquillisant et une bouteille de vodka. Quelques gorgées font passer la pilule du bonheur chimique. C'est déjà ça de pris. Puis elle s'enfouit sous sa couette panthère recouvrant les draps de soie.

Samuel, retourné dans sa chambre, est gagné par la panique et fouille partout.

« J'veux du son. Je peux pas rester sans son. Je vais péter les plombs ! »

Il renverse tout, comme un cambrioleur chercherait un magot. Il respire mal.

« C'est pas possible, je ne pourrai pas. Je sais que j'ai un vieil iPod quelque part, un vieux MP3, n'importe quoi, mais un peu de son... Allez... Allez, merde ! » crie-t-il en renversant toute sa chambre, tirant une taffe de son joint qu'il rallume régulièrement.

« Ahhhh... Ouais ! Ah géniaaal ! » hurle-t-il en retrouvant une vieille trompette qu'il brandit et dans laquelle il souffle immédiatement.

Il en sort un cri avorté, puis recommence. C'est mieux. D'un « pouet ! », il arrive à une note veloutée et tenue. Il amorce, fébrile, un air de jazz. Une sorte de joie sourde et puissante gagne son corps, et il sourit entre les sons qui résonnent, de plus en plus harmonieux. Sam continue de faire vibrer ses notes dans le silence de la maison et ne lâche plus sa nouvelle copine dans laquelle il savoure une douceur oubliée. Il veut la réveiller et insiste, comme on ferait du bouche-à-bouche à une jeune fille évanouie. À chaque tentative, il se marre tout seul.

« T'entends ça, Vaness... c'est de la bombe. Ça revient !... comme le vélo, putain ! Hoho ! Vaness ! Hey, mais franchement, t'en as pas marre de faire la gueule, merde, t'es pas marrante ! Viens te réchauffer en bas, tu dois être congelée ! C'est cool, en bas ! On a une véranda en igloo, c'est top ! Lâche tes jeux et viens... » crie-t-il à travers le mur.

Pris d'un instinct animal, il s'étonne de ne recevoir aucune réponse de l'autre côté de la cloison et se met à tapoter, puis à cogner sur le mur qui le sépare de sa sœur. Sans réponse, il souffle dans sa trompette, pris d'un amour renaissant pour son nouveau jouet, et dépiaute ses placards. Il sort une valise, l'ouvre, vide les jeux vidéo à l'intérieur.

« Vous servez plus à rien là, petites merdes ! » adresse-t-il aux pochettes qui inondent le lit.

Il remplit la valise de tout ce qui lui tombe sous la main. Un mange-disque neuf qu'il trouve au fond d'un bac rempli de jouets et figurines poussiéreux, un Ghetto Blaster, des petites voitures, des CD.

Il déverse le tout et continue de fouiller. Les trésors jaillissent du fin fond des tiroirs, des dessous ou dessus oubliés d'armoires : vinyles, quarante-cinq tours, trente-trois tours, *Les Bisounours*, *Albator*, Paul Anka, Dorothée, les Moody Blues, Tina Turner, Jack Lantier, Léo Ferré, Joe Dassin, The Mamas & the Papas composent très vite un riche étal de brocanteur. Il attrape le tout sans trier pour le mettre dans sa valise, célébrant ses trouvailles d'un petit coup de trompette façon rassemblement des troupes.

« Hey, Vaness ! Qu'est-ce tu fous ? Arrête de criser, putain ! Allez, viens !... »

Il tape de plus en plus fort. Personne ne répond. Il sort de sa chambre et veut entrer dans celle de sa sœur, mais la porte est fermée à clé. Il tape et tape encore.

« Je voudrais dormir si c'est possible ! » hurle Pam, enfouie dans son alcool drogué, tentant de se détendre.

Mais Samuel continue de cogner sur le mur mitoyen de la chambre de sa sœur, puis descend dans le living, emmitouflé dans sa couette avec un bonnet péruvien sur la tête, joint au bec, où il retrouve son père et Mathieu qui grignotent en silence.

« Y a Vaness qui est enfermée depuis un bon moment dans sa chambre et elle répond jamais, même quand je hurle, je m'disais qu'il fallait ptêtre prévenir... Ça fait un moment qu'elle est même plus descendue pour bouffer, non ? Ce qui me semble, de mon petit point de vue, un peu zarb. Voilà, j'ai rempli ma mission. »

J.-P. regarde Samuel et monte l'escalier sans rien dire à la lueur de sa montre, qu'il n'allume pas à son maximum, commençant à s'habituer à l'obscurité. Mathieu le suit. Sam aussi, laissant ses nouveaux trésors près des canapés ensevelis sous les couettes et autres sacs de couchage. Le père veut ouvrir la porte de la chambre de sa fille. Mais le verrou l'empêche d'entrer.

« Bizarre, dit Sam. Mais bon, elle avait les boules qu'il y ait plus de jus, normal… Moi aussi, ça me gonfle, mais nous, on a *Les Bisounours* !… Hein, Mat ?

– Quoi ? demande Mathieu.

– Tu verras, j'ai retrouvé *Les Bisounours* ! Mieux que les jeux, c'est de la bombe ! "*Bisous bisous, gentil Bisounours/Un p'tit bisou, y a rien de plus fou/Bisous, bi…*"

– Bon, ça va ! interrompt J.-P. Arrête, s'il te plaît.

– Oh, le daron, cool ! »

Les trois hommes font face à la porte close de Vanessa.

« Vanessa !! Tout va bien ? crie J.-P. en vain.

– Peut-être qu'elle pionce peinarde, en même temps, je sais pas, moi, faut la laisser.

– Vanessa, Vanessa ! » insiste J.-P. en tambourinant.

Toujours rien.

« Bon allez, viens, bro, on va en bas se mettre des vinyles ! Viens ! »

Samuel tire Mathieu par la manche, mais le petit ne veut pas le suivre.

« Allez, viens, ça pue ici, ça fait que se gueuler dessus… » insiste le grand frère.

Mais Mathieu veut rester avec son père. J.-P. tape maintenant comme un fou sur la porte.

« JE VEUX DORMIR ! » hurle Pam depuis sa chambre.

J.-P. ne relève pas et entraîne son plus grand fils, fonçant sur l'obstacle de tout son corps. La cloison verrouillée se déchire et ils se retrouvent tous les trois projetés au sol pas loin de Vanessa, écroulée au pied de son lit. J.-P. se redresse immédiatement, Samuel et Mathieu, happés par le mouvement, sont tombés à différents coins de la pièce. Vanessa est inerte, blanche, casque sur les oreilles, de la bave sort de sa bouche. Jean-Pierre la secoue comme un prunier, lui tape sur les joues pour la réveiller, paniqué.

« Oh, mais ça va pas ? T'es malade ou quoi ? balance Vanessa, revenue à elle, encore dans le coton, mais piquée.

– Tu m'as fait peur, désolé... » dit l'homme, maladroit et mal à l'aise.

Sa fille ne le regarde pas et s'essuie la bouche, embarrassée elle aussi. Mathieu court vers sa chambre et revient vite avec des Kleenex qu'il tend à sa sœur.

« C'est bien la première fois que je te fais peur, c'est la meilleure, celle-là ! dit-elle, ressuscitée d'un seul coup, agressant son père.

– Calme-toi, c'est pas la peine de me parler comme ça. J'ai eu peur, c'est tout, assène J.-P. en sortant de la chambre, passant devant Samuel au sourire radieux, qui intervient :

– C'est quoi le délire ? Qu'est-ce que t'as eu, Vaness ?...

– J'sais pas... Et ma porte, qui c'est qui la répare ? Vous avez foutu en l'air ma porte ! hurle-t-elle.

– Mais vous allez arrêter d'aboyer ? On se croirait dans un chenil de bouledogues ! Allez beugler ailleurs ! » vocifère Pam, ouvrant sa porte et la claquant aussi sec.

J.-P. s'arrête net, interrompant sa course vers le living, en bas, et revient sur ses pas vers la chambre de sa fille, ne relevant même pas les cris de sa femme.

« Hé, tu te calmes maintenant !... Compris ? Je suis ton père, tu ne me parles pas comme à un chien...

– Ah, t'es mon père ? Oh putain ça y est, j'ai un père, et en plus c'est un héros, il défonce les portes. Mais est-ce qu'il sait les réparer ? » crie Vanessa.

Samuel, pétard et sourire aux lèvres, applaudit, aux anges.

« Yeah, cool... C'est bon, c'est bon, continuez ! Vous êtes bons, vous êtes trop bons ! C'est de la bonne scène, ça !... Yeah !... »

Il regarde son petit frère qui masque sa peur et l'entraîne.

« Allez viens bro, ça pue ici j'te dis, viens, on va se marrer en bas... »

J.-P. regarde un quart de seconde sa fille et s'avance vers elle.

« Tu peux continuer à hurler, après tout, c'est ce que tu as de mieux à faire, parce que tu vas te réchauffer... Et ta porte, tu peux lui dire au revoir, parce qu'à mon avis tu vas pas vraiment en avoir besoin tout de suite, tu ferais mieux de venir avec nous en bas, c'est mieux qu'ici, dans ton trou. Les portes, il faut les ouvrir, si tu veux respirer. On essaie de trouver des solutions pour que les choses se passent de la meilleure façon possible... affirme J.-P., très autoritaire.

– Je suis mieux toute seule qu'avec vous... et je veux mon ordi », balance Vanessa.

J.-P. fixe sa fille subitement.

« Qu'est-ce qu'il y a ? siffle-t-elle, méprisante.

– Tu as déjà eu ça ? demande-t-il.

– Quoi ? répond Vanessa.

– Tu t'es évanouie... Tu t'es déjà évanouie comme ça ?... »

Silence.

« Ben j'en sais rien, moi... non... On s'en fout, répond Vanessa murée, tournant le dos, toujours allongée. Non... jamais, ajoute-t-elle pour en finir. C'est sûrement parce que j'avais froid, j'ai flippé, c'est tout. J'étouffe ici, ça fait chier maintenant. »

J.-P. la regarde.

« Comment ça s'est passé ? demande-t-il à sa fille.

– Oh, on s'en fout ! Lâche-moi ! Ça va, c'est fini.

– Dis-moi comment ça s'est passé ! » insiste-t-il en voulant retourner sa fille vers lui.

Elle se dégage violemment.

« Hé, me touche pas, d'accord ? Tu me touches pas ! Foutez-moi la paix... Je sais pas, moi. Je cherchais des trucs dans mes tiroirs et j'étais vénère, j'avais les boules, et... Je sais plus, c'est rien putain, c'est fini !

– Et quoi ? » demande J.-P. qui change de ton brutalement, inquiet.

Puis, devant le visage muré de sa fille, il repart vers le living, suivi de Mathieu et Samuel.

« Je te dis de venir avec nous en bas. Si tu préfères te geler dans ta chambre, c'est ton problème... Nous, on a une bulle d'air, c'est d'ailleurs grâce à ça que tu respires, et j'ai creusé derrière la cuisine, ça aide aussi, et on a du feu, il est petit, mais il fait ce qu'il peut...

– Je m'en bats, de votre feu et votre bulle d'air ! continue Vanessa, enragée, partant dans un rire moqueur. Je m'en bats, de vot'feu et de vos trucs d'Esquimaux à deux balles ! Je veux mon ordi ! »

J.-P. est déjà loin.

« Désolé, je peux fabriquer un feu, mais pas un ordi. »

Samuel et Mathieu ont posé un mange-disque sur la table basse et dansent comme des Indiens autour d'un totem. On entend une drôle d'incantation sortir de l'engin mécanique. La musique résonne dans toute la pièce :

Bisous, bisous, gentil Bisounours/Un p'tit bisou/Y a rien de plus fou/Bisous, bisous, gentil Bisounours/Un gros bisou/Y a rien de plus fou/Un le matin/Juste pour se sentir bien/Un bisou à onze heures/Pour un peu de bonheur/Un à midi/Ça fait plaisir aussi/Et un le soir/Ça évite les cauchemars.

Samuel et Mathieu singent des danseuses qui se trémoussent.

« Ça, c'est du cadeau d'anniv ! J'ai failli le jeter, c'est de la bombe, ce truc ! »

J.-P. traîne les pieds dans les escaliers, vidé. Il regarde sa montre qui lui dit : 00 h 03. Il boit un coup.

« Il est quelle heure, papa ? demande Mathieu.

– Il est tard... Il faut se coucher, après cette magnifique journée » annonce-t-il, grave, errant sur fond d'ambiance *Bisounours*, avec Samuel qui danse tout seul dans la pièce, entraînant son frère :

« Allez, Mathieu, viens, on fait les chœurs. »

Bisous bisous, gentil Bisounours/Un le matin/Juste pour se sentir bien/Y a rien de plus fou, mouak, mouak, mouak mouak, mouak mouak ! Bisous bisous bisous !

Mathieu le regarde et chante avec lui. Puis, contaminé par la tristesse de son père, il va s'asseoir, prend un livre et se plonge dedans pour oublier le reste. J.-P. agrippe ses papiers et disparaît dans le tunnel, vers l'igloo. Il se couche, se sert un whisky, se noie dedans et dans les papiers. Ses fils le rejoignent.

« Je travaille.

– Bonne nuit, papa, dit doucement Mathieu.

– Oh, arrête avec tes "papa", s'il te plaît. Je suis fatigué... Vous avez intérêt à vous reposer, parce que demain on creuse. Et peut-être qu'on aboutira dans une des annexes... et qu'il y aura une alarme branchée. C'est marrant, il fait meilleur ici que partout dans la maison.

– Pourtant, c'est de la neige, les murs... C'est parce que c'est nous les chauffages, dit gentiment Mathieu.

– Oui, c'est ça... marmonne J.-P. en sirotant son alcool.

– Peut-être aussi qu'ils vont venir quand même demain, continue Mathieu.

– Oui, vaudrait mieux... prononce Samuel discrètement, enchaînant sur sa berceuse de circonstance. *Bisous, bisous/Un p'tit bisou/Et un le soir/Ça évite les cauchemars, mouak mouak mouak, mouak, mouak, mouak.* »

Chacun va vers sa nuit bercé par les bisous en chanson.

Un noir profond enveloppe et pénètre toute la maison, une vraie nuit. Une seule bougie veille sur le sommeil des dormeurs.

Vanessa, qui n'a pas bougé de son lit, là-haut, grelotte et se lève doucement. Elle sort de sa chambre sans bruit et va en éclaireuse observer ce qui se passe en bas. Elle sent la fumée des pétards de Samuel, scrute pour tenter de voir quelque chose, mais il fait trop sombre. Son ventre gargouille, elle le tient pour qu'il se taise. Elle retourne vers sa chambre, prend sa couette et descend très lentement les marches, ne voulant pas être surprise. En bas, la pièce est sinistre et lui donne des frissons. Elle lui apparaît comme une grande bouche noire béante, prête à engloutir celui qui descendra l'escalier, dont les marches claires évoquent des dents bizarrement organisées. Aidée par une bougie dont la lueur tremble, Vanessa traverse le living, s'approche du tunnel et scrute sa profondeur, puis s'y enfonce. Impressionnée par le boyau de glace aux reflets dorés créés par la flamme, elle arrive dans le fameux « igloo ».

En arrêt devant cette chose qu'elle n'a jamais vue et qu'elle éclaire de la petite flamme, déjà plus vaillante, elle cherche une place, ne sachant pas où se mettre pour ne pas être trop proche des autres mais sans être trop loin du feu, dont elle découvre et apprécie la chaleur. Elle pose sa couette un peu à l'écart après s'être réchauffée, seule, devant les braises timides qui lui font du bien. Elle repart vers le living et la cuisine, prend des Cracotte qu'elle couvre de Nutella, s'en fait une bonne assiette et retourne dans la caverne de glace, s'assied sur son duvet rassurant, en regardant le feu et en faisant fondre les fines galettes dans sa bouche avant de les avaler, pour ne faire aucun bruit. Épuisée, frigorifiée, elle se relève et s'approche du foyer, réfléchit, puis glisse imperceptiblement sa couette vers celle de son père et de son petit frère, ne désirant que chaleur et réconfort. Elle se recouche et ferme les yeux. Des larmes coulent.

« Je peux pas dormir sans mon ordi, putain... Comment je vais faire... »

Elle regarde les corps allongés autour d'elle et pleure encore. Elle mâchonne ses galettes, puis se lève et s'enfonce vers la maison, grimpe lourdement les marches de l'escalier et disparaît dans sa chambre. Elle en ressort couverte d'un bonnet, d'une parka et de chaussettes en laine, son ordinateur sous le bras. Revenue dans le dortoir de glace, elle regarde le feu, avide de douceur dans ce silence, puis va vers sa couette et se glisse dedans, posant son ordinateur juste à côté d'elle, au niveau de son visage. Allongée, emmitouflée, elle contemple son portable électronique dernier modèle, muet, froid, et le caresse doucement :

« Tu vas revenir... Hein ?... Tu vas te rallumer ?! Demain ? Hé hoo ! T'as intérêt à te rallumer, je peux rien foutre sans toi... Je peux pas vivre sans toi. Me laisse pas tomber, d'ac ?... Bonne nuit... » chuchote-t-elle amoureusement à la machine en fermant les yeux, sa main caressant l'objet chéri comme un doudou.

Quatrième matin

« J'en peux plus... Je vais péter les plombs ! Je vais péter les plombs ! » hurle Pam dans sa chambre froide, qui évoque une sorte de temple éclairé par quelques bougies.

Accrochée à son téléphone, elle pianote avec un désespoir acharné un numéro sur son portable. « Carl » s'affiche. Le visage de Pam se fige dans une implosion de joie :

« Oh mon Dieu !... Oh mon Dieu ! Chéri, je t'en supplie, réponds-moi... »

Sa peau se tend, ses lèvres frémissent, elle semble craqueler de toutes ses émotions, dans un tremblement de chair. Elle pleure de bonheur, provoquant une inondation de toute sa face qui mettrait très en colère le grand dieu Doc, qui lui interdit toute émotion, car cela déclenche les rides. C'est loupé, le feu d'artifice est à son paroxysme. Sur le portable, une petite barre de réseau apparaît. Pam parle à son portable :

« Oh mon Dieu ! Du réseau ! Du réseau ! Oh ! C'est pas possible ! Merci mon Dieu ! Merci, merci, merci ! C'est merveilleux ! J'ai du réseau ! J'ai une barre ! J'ai une barre ! » exulte la femme, s'adressant au petit signe lumineux et magique dans le noir du téléphone. Oh là là ! Oh mon Dieu ! Reste là, reste là, juste quelques secondes, que je puisse l'entendre... S'il te plaît !... Je t'en supplie ! »

Pam caresse son téléphone.

« Oui, tu es gentille, reste avec moi, reste, reste... Petite barre, petite barre, tu es si jolie, même si petite, tu me tiens compagnie, dans le noir si froid... Reste avec moi, petite barre, petit signe de joie, qui est là, là là là... Jolie petite barre... la la la la la... » se met à fredonner Pam en embrassant son téléphone portable, le couvrant d'une série de petits baisers, pour l'encourager à rester bien vivant.

Elle trépigne puis se réfrène, de peur d'effrayer la farouche petite machine et de faire disparaître le signal magique. Elle écoute la sonnerie. Une voix d'homme décroche à l'autre bout du portable. La voix est brouillée, coupée, à peine audible :

« Allô ? »

Pam s'étouffe de joie et d'émotion, elle pleure et rit en même temps.

« Allô ? Allô ?... Oh, c'est pas vrai ! Mon chéri ! Carl, mon amour, j'y suis arrivée ! Allô ? Je t'entends pas ! Tu es où ? Tu n'as rien ? Dis-moi vite, comment c'est, en bas ? Tu vas bien ? Les secours vont arriver ? On est coincés ! J'en peux plus ! »

Pam colle sa joue contre le petit iPhone noir et pleure toutes les larmes de son corps. Elle attend la voix de l'homme qu'elle aime et qui arrive enfin, saccadée :

« Allô ! Je t'entends très mal. Et toi, comment ça va ?... Tu es où ?... Allô ? All... Je t... »

Silence. La communication a été coupée, le vide ressurgit. Pam refait immédiatement le numéro. Messagerie. Elle bredouille en pleurant :

« Oh, Carl, mon chéri ! Je n'en reviens pas qu'on ait pu se

parler, mon amour... Je peux te laisser un message ? C'est horrible d'être coupée de toi comme ça ! Rappelle-moi si tu peux. Je voudrais que tu sois là près de moi. Rappelle-moi... Je t'aime... Je t'aime... »

J.-P. apparaît dans l'embrasure de la porte. Elle ne l'a pas vu.

« Je suis coincée à la maison, continue Pam au téléphone, je vais devenir folle, c'est un cauchemar, J.-P. va me rendre dingue, je savais qu'il fallait qu'on divorce, qu'on arrête avec nos vies ridicules. Je le savais. Mon chéri, je suis avec toi... Je suis enfermée avec des gens que je ne reconnais plus. Ma vie n'est pas ici. Mes enfants sont devenus des étrangers, on est tous des étrangers. J'ai froid... plus rien ne marche. Je... Je n'ai pas envie de me rapprocher d'eux. J'ai l'impression d'être punie... Pourquoi cette punition ? Hein, mon amour ? Pourquoi nous ? Pourquoi le ciel fait-il des choses pareilles ? Je t'aime. Rappelle-moi, je t'en supplie... Rappelle-moi... »

Pam retombe sur son lit en pleurant, complètement désespérée. Étrangement, ses larmes la rendent plus humaine, les traits de son visage se transforment, s'abandonnent à une tristesse démaquillée, enfouie depuis longtemps, et qui se montre, implacable et sublime de cruauté. L'eau coule de ses yeux noirs qui déteignent et fait briller sa peau en la creusant, petits ruisseaux dans la montagne qui redonnent vie à ses contours trop parfaits, tués par le scalpel. Pour la première fois, Pam est une femme vivante. Jean-Pierre n'a pas bougé et regarde cette ombre de dos, cette épouse qui est la sienne.

« Tu as pu avoir du réseau ? Comment tu as fait ? Des nouvelles d'en bas ? En ville ? » demande-t-il doucement, d'une amabilité appliquée.

Le corps de Pam ne bouge pas. Elle renifle, dégage une main vers la table de nuit, ouvre un tiroir, en tire un Kleenex et se mouche. J.-P. la regarde. L'homme et la femme ne bougent plus. À quelques mètres l'un de l'autre.

« Oui. Tout est bloqué… La tempête continue… » répond Pam d'une voix blanche et toujours sans ton, sans l'once d'un mouvement.

Puis elle se retourne lentement vers J.-P.

Elle le regarde, vidée, le visage tuméfié, rougi par les pleurs, méconnaissable. Ils se fixent. Ça dure des siècles et des siècles.

« C'était mon amant… Au téléphone…

– Ah… dit J.-P., sans intonation.

– J'ai un amant…

– Oui, dit J.-P. sans bouger.

– Depuis un an », ajoute Pam.

Le mari et la femme se regardent.

« Enfin… deux ans, poursuit-elle. Et toi ?

– Trois ans… dit J.-P., pensif.

– Non… Pas trois ans, deux ans, insiste Pam.

– Non. Moi, ça fait trois ans que j'ai quelqu'un », dit Jean-Pierre.

Rien de Pam n'a bougé. Peut-être a-t-elle caché un très léger soubresaut de surprise, mais il est si enfoui que J.-P. n'en a pas vu l'ombre. Dans une montée de larmes accompagnée d'un rire étrange, elle abandonne un :

« Et nous ? On s'aime plus depuis combien de temps ? Cinq ans, six, sept, dix ?

– Je sais pas », dit J.-P., harassé.

Le silence s'installe. Il flotte autour des deux êtres, qui s'adressent l'un à l'autre avec calme. Il les honore, il tourne autour d'eux comme une danse, une incantation. Il les encercle de sa douceur discrète. Mais il n'est pas tout à fait muet. Ce silence chuchote des ondes et des sifflements à peine perceptibles, qui suintent dans l'atmosphère cotonneuse.

L'homme et la femme sont tous les deux assis à un bout du lit, emmitouflés. Deux paquets humains de duvet et de fourrure posés aux extrémités du lit *king size* en soie dorée.

« Je veux qu'on divorce, déclare Pam.

– Moi aussi, répond J.-P. Mais il y a peut-être plus urgent, non ? »

Pam reste muette.

« Avant de divorcer, continue J.-P., il faut faire un effort pour les enfants, le temps de sortir de cette galère... Et quand tout sera fini, on en reparlera. On fera ce qu'il faut. »

Pam se remet à pleurer et détourne son visage.

« Je devais me faire opérer par Charles...

– Opérer quoi ?

– Ma gueule, répond Pam, redevenue sèche et effrayante, ma saloperie de gueule. »

J.-P. la regarde, on ne sait pas ce qu'il pense.

« Tu le feras pour fêter notre divorce », dit-il en sortant de la chambre.

Gisèle

Sam et Mathieu petit-déjeunent ensemble. Ils engloutissent n'importe quoi et tentent des expériences culinaires. Ils font tremper des pâtes crues dans de l'eau pour voir combien de temps elles mettront à fondre, ajoutent de l'huile, de la crème, du sucre, mélangent des céréales, des morceaux de fruits coupés en tout petit, avec du yaourt à la vanille, du riz au lait, le tout arrosé d'épices. De la cannelle, un soupçon de curry, de poivre, rien que pour voir, tenter, être des aventuriers du goût. La chose forme une sorte de gâteau mou improvisé.

« Ça a plus la gueule de gerbe que de bouffe, notre truc », balance Sam à Mathieu, qui rit de toutes ses forces.

J.-P. arrive à allumer un feu minuscule mais vivant dans la cheminée. Vanessa est blottie dans un coin de la pièce, silencieuse.

« Ben... On a de l'air ? demande Samuel à son père, interloqué, la bouche pleine.

– Oui. Un peu plus. J'ai trouvé une autre bulle derrière le débarras... Elle est petite, mais ça fait un appel. Je ne sais pas combien de temps ça va tenir, mais tant que le feu s'allume, c'est que c'est bon, dit le père.

– Yeah ! crie Mat qui, illico, va rechercher son matelas et ses couvertures dans l'igloo.

– Si tu veux, continue Sam, on peut creuser partout autour de la baraque, comme ça on est sûrs que...

– Oui oui, on peut le faire petit à petit… répond J.-P. En tout cas, on peut aussi revenir dormir ici… Enfin, on fait comme on veut.

– OK, daron ! » dit Samuel.

J.-P., barbe naissante, le visage harassé, regarde son fils aîné, duvet naissant. Un rai de lumière passe entre eux.

Mathieu rapporte en courant comme une fusée tout l'attirail de sa sœur, son frère, son père, et installe le barda dans le living près du feu. Il y fait plus sombre, mais c'est plus chaleureux.

« On ira dans l'igloo quand on voudra voir du jour ! Hein ? » lance Mathieu.

Sam et J.-P. acquiescent en silence. Les deux garçons regardent les flammes tout en avalant leur mixture. Mathieu attarde ses yeux sur son frère et sourit doucement, en cachette. Puis il revient au feu. Il semble avoir une idée qui le démange. Il réfléchit, entre deux bouchées.

« C'est pas dégueu, le vomi… dit Samuel. On assure, gro ! Triple étoile Michelin ! » continue-t-il en sauçant son assiette avec le doigt.

Mathieu a presque fini et caresse son ventre tendu. Ils sont tous les deux comme des gros ventripotents, repus et satisfaits. Sam tâte la poche de son baggy et en sort un petit sac, qu'il secoue.

« Merde, je vais plus avoir d'herbe, ça craint…

– On va dans le garage ? » lance alors Mathieu dans une tentative de diversion.

Sam regarde son petit frère, le toise et sourit jaune.

« Le garage… Ouais… Il faut que je bouge, de toute façon, sinon je vais péter un câble… »

Les deux explorateurs disparaissent dans ce qui reste de la pièce, alors que Vanessa, qui guettait en haut de l'escalier, apparaît, son ordinateur collé contre son ventre, grelottante et errante, cherchant quelque chose à faire. Ses yeux se figent sur le reste du gâteau qui trône sur la table basse. Elle s'en approche, hésite, puis en prend une miette qu'elle avale en faisant une moue de dégoût. Elle attarde son regard quelques secondes sur la minuscule flamme résistante qui danse comme elle peut, sans musique, sans accompagnement, avec le silence pour seul écho.

« Minable, ce feu », susurre la jeune fille avant de remonter les escaliers et de disparaître dans sa chambre en s'écrasant sur son lit.

Mathieu et Samuel, entourés de bougies, fouillent, éventrent des cartons dans le garage aux allures de décharge. Mathieu a trouvé une autre lampe torche, qu'il allume en trépignant de joie.

« Yeahhh ! »

Samuel s'attaque à un monceau de livres, de photos, jeux en carton, comme il ouvrirait ses cadeaux de Noël. Tous les deux fouillent, avides, les caisses, goulus, impatients, comme on ouvrirait des trappes qui conduisent à un nouveau paradis. Le garage, parsemé de tas, devient un bordel poétique. Ils vident tout ce qu'ils peuvent, sans regarder au préalable ce que contient le carton, histoire d'en prendre quelques-uns, vides, pour les apporter autour de la cheminée et aider le feu, on ne sait jamais. Ils vont de découvertes en découvertes : livres de cuisine, courrier, habits, chaussures. Ils sont surexcités. Jeux de société, autres vinyles, vieux Action Man et Transformer, ballons de basket et de foot. Les lampes de poche sont disposées çà et là, créant des faisceaux lumineux qui transpercent la poussière, s'échappant des anciens objets sortis de leur coquille.

Samuel, tombé sur une série de vêtements chauds, les enfile les uns sur les autres pour, finalement, tout enlever et se couvrir le corps d'une superbe combinaison de ski rouge vif avec des flammes orange et roses.

« C'est ma combi de surf, le pied ! Hé ! Hé, brother ! J'suis pas beau, ça comme ? Yeah yeah, le refré dans sa combi de surf, ça c'est du style, mon gars ! T'en as pas une, toi ?

– Si ! Regarde ! » claironne Mathieu en brandissant une combinaison bleue et jaune un peu plus discrète.

Il l'enfile, comme son grand frère. Tout heureux, ils sortent toutes les panoplies de sports d'hiver. L'une que l'on devine à Pam, en panthère, une autre rose vif et mauve, celle de Vanessa, et une très grande, blanche et grise.

« Ça doit être à J.-P. ! crie Sam.

– Euh... oui... dit Mathieu en regardant Samuel.

– Qu'est-ce qu'il y a ? dit Samuel.

– Rien, dit Mathieu, gêné.

– Ben si, dis-moi.

– Non... C'est... Tu dis jamais "papa", toi ?

– Ah ! Ben non ! Pourquoi ?

– Pour rien ! » dit Mathieu en sortant du garage derrière son frère, tous les deux chargés de mille trésors qu'ils déposent en vrac autour du nid grossissant près du faible feu.

Ils installent trois lampes torches sur la petite table basse, improvisant un luminaire. Samuel prend le ballon de foot et dribble dans la pièce froide, qui entend résonner cette chose nouvelle sur le sol peu habitué à ce genre d'activité.

« Viens jouer ! Allez, viens jouer avec moi ! »

Mathieu, surpris, lève les yeux des livres dans lesquels il était en train de fouiner et rejoint son frère pour rattraper la balle qu'il lui lance dans un coin du salon. Vanessa, cachée dans la cuisine, se met du vernis à ongles à la lueur de deux bougies, une pour le flacon, une pour l'ongle à peindre. Boudant toujours, elle ignore ses deux frères en combinaison de ski, en train de jouer à la baballe dans le living, jusqu'au moment où cette dernière vient s'écraser sur un placard, à deux doigts de son visage.

« Hé, ça va pas ? Vous êtes tarés ou quoi ? J'ai failli me le prendre dans la gueule, votre ballon ! Allez jouer ailleurs, merde !

– On l'a pas fait exprès, t'es chiante ! On t'avait pas vue ! Pourquoi tu te planques, aussi ? T'as qu'à pas te planquer ! » lui balance Sam.

Vanessa remonte dans sa chambre avec une main faite et l'autre qui porte son attirail. Elle croise sa mère qui sort de son antre pour descendre vers le garage et fouiller dans des cartons de vieilles couvertures. Mathieu regarde son frère, inquiet.

« On a retrouvé des combinaisons de ski ! Si t'as froid ! » tente Mathieu en brandissant le vêtement devant sa mère.

Pam toise la chose et l'arrache des mains de son fils.

« Je veux que vous rangiez ça, on est d'accord ? dit Pam, contenant son humeur.

– Ouais, ouais, on va ranger... On va ranger... » râle Sam.

La mère disparaît comme une traînée de poudre vers la cuisine, chargée de couvertures.

« Je vais chercher de l'herbe », dit Sam à Mathieu en traînant la patte vers l'escalier.

J.-P., isolé dans son bureau, trie des documents et semble faire défiler la paperasse sous ses yeux vides, comme si elle lui était devenue étrangère. Las et totalement absent, il délaisse tous ces bavardages, remplis de promesses d'affaires ou de dettes, et, regardant vers son vasistas blanc, monte sur son grand bureau en ébène et aluminium, dégageant tout ce qui l'encombre avec ses pieds. Il prend sa pelle qui ne le quitte plus, donne des grands coups dans la vitre pour la défoncer, se blesse avec quelques débris de verre, mais continue et creuse à l'horizontal.

Mathieu regarde discrètement sa mère fouiner dans la cuisine, soulagé qu'elle n'ait pas crié, et dispose les boîtes de jeux de société les unes sur les autres, ramasse les livres, les habits, les photos, journaux, B.D. Il tombe sur un paquet de papiers entouré d'une ficelle. Intrigué, il jette un œil autour de lui, vérifiant que personne ne le voit, câle le paquet ficelé sur ses genoux pour défaire le lien qui les maintient ensemble. Ce sont des enveloppes, toutes marquées de la même écriture. Impatient, il déplie délicatement une lettre.

« Mon amour, tu me manques... »

Mathieu ouvre grand ses petits yeux qui scintillent comme des billes de jais dans la pénombre, regarde à nouveau vers l'étage, puis reprend sa lecture, très intrigué.

« Jean... Jean-P... J'en peux plus... Je ne passe pas une seconde sans penser à toi. Cette nuit, j'ai rêvé qu'on partait tous les deux, tu venais me chercher sur ta moto et on roulait, sans casque. C'est crétin, mais on était tout nus et ce n'était pas ta moto, mais une autre, celle de mon rêve. Elle était blanche et très brillante, et elle fonçait comme une fusée. On s'envolait et tu me tenais. C'est moi qui conduisais et tu me montrais la route, on était projetés dans le ciel et on faisait l'amour en lévitation... »

Mathieu en a le souffle coupé. Il sourit, gêné, sentant que peut-être il devrait arrêter sa lecture indiscrète. Il a du mal à comprendre l'écriture parfois. Il jette régulièrement un coup d'œil vers la cuisine et vers sa mère, qui remonte, chargée de quelques victuailles. S'il était pris sur le vif, ça serait très difficile d'expliquer ce qu'il est en train de faire. Il est essoufflé comme s'il venait de courir dans le stade de l'école pendant les cours de gym. Tout rouge, il n'en revient pas et scrute la signature, passant les trois feuilles gribouillées de la longue lettre. Les mots d'amour sont signés « *Gisèle* ». Mais c'est qui, « Gisèle » ? se demande-t-il. Il ne connaît pas de Gisèle, et ça a l'air si vieux, tout ça. Qui est cette femme qui dit « mon amour » à son père ? Une maîtresse ?

Il sait ce que c'est qu'une maîtresse. C'est une femme qui couche avec un homme qui a déjà une femme. Il y avait eu une histoire comme ça, à l'école, avec le directeur. Certains disaient qu'il avait couché « avec l'école tout entière ». Au début, Mathieu n'avait pas compris et croyait que le directeur dormait dans le bâtiment de l'école où il avait sans doute plusieurs chambres, des lits un peu partout, dans les classes, à la cantine, à l'infirmerie... Mais quand même, c'était bizarre, de « coucher avec une école tout entière », c'était forcément impossible. Non, il devait bien dormir dans son bureau. Mais les gros durs de CM2 racontaient en détail, à la récré, comment le dirlo couchait avec « toutes les femmes de toute l'école », et pas dans l'école, bien sûr... Mathieu avait trouvé ça étrange, mais il s'en fichait. Après tout, il faisait comme il avait envie, c'était le directeur, et il devait avoir un canapé dans son bureau pour faire dormir toutes les femmes qui avaient sommeil. Tout le monde était jaloux, et puis c'est tout.

La lettre de « Gisèle » est ancienne, ça se voit, à l'écriture, au timbre, au cachet de la poste. Mathieu la prend dans sa poche de combinaison, dans laquelle il commence à étouffer d'émotion. Il emplit une autre poche de deux autres lettres, et, tel un voleur qui vient de commettre un gros larcin, il remet le trésor dans son carton, flanque des vieux bouquins par-dessus et glisse le tout derrière le canapé. Tentant de se calmer, il se plonge dans un de ses livres, mais, incapable de se concentrer, il regarde le feu. Son cœur bat. Qui était « Gisèle » ? Mathieu, perdu et excité en même temps, observe autour de lui. Ses yeux tombent sur le mange-disque inerte. Il appuie sur « On » et les Bisounours se mettent à chanter. Il se sent moins seul et fredonne en même temps... Il entend au loin des coups. Il sait que son père creuse quelque part, il le devine s'acharner sur un mur de glace. La trompette de son frère résonne faiblement de là-haut, par intermittence.

Il se sent noyé, c'est comme s'il n'y avait plus de repères, comme si toute notion du temps avait disparu. Il guette le haut de l'escalier, mais personne ne revient. Que se passe-t-il ? On dirait que tout est figé. Il se sent enfermé dans une boîte. Vite, il projette ses yeux sur le bois qui se consume dans la cheminée. Il n'y a plus de flammes, remarque-t-il.

« Ça doit être pour ça que je peux plus bien respirer... pense-t-il à voix haute. Hein Mirette ?...

– Oui, répond Mirette, il faut que tu remettes une bûche, il ne faut jamais laisser un feu s'éteindre...

– Oui oui, dit Mathieu... Reste avec moi...

– Je suis là... Ferme les yeux, et tu m'entendras mieux. Si tu penses très fort que je suis là, tu auras plus chaud, et la chaleur t'aidera à chasser les mauvaises pensées. Allume de nouvelles bougies. »

Le petit garçon prend une lampe de poche et braque son faisceau vers le garage pour chercher une bûche. Il constate qu'il n'y en a presque plus.

Samuel, casque muet sur les oreilles et trompette au bec, vide ses tiroirs, fouille frénétiquement sous son lit, dans sa salle de bains, dans les placards, recommence partout où il est déjà passé, va n'importe où vérifier, dans des poches de pantalon, dans des chaussettes...

« Putain d'herbe, je crève si j'ai plus d'herbe, putain de cauchemar... Là, ça va devenir impossible de rester ici, merde, meeerde... »

Plusieurs bougies forment une douce lumière dorée sur la table basse, Mathieu est assis devant la cheminée. Ses yeux fatigués fixent un feu miniature qui lui tient une maigre conversation.

« Mirette ? Tu es là ?

– Oui, répond Mirette.
– J'ai peur.
– Ça ne sert à rien, mon petit.
– Reste avec moi…
– Bien sûr. Toujours…
– À qui tu parles ?… »

La voix de Vanessa fait sursauter Mathieu. Il découvre sa sœur en levant les yeux : sa tête émerge d'une énorme couette blanche parsemée d'étoiles rouges et roses et semble posée là, comme une âme perdue. Ses ongles faits et son pouce dans la bouche, elle triture une mèche de ses cheveux.

« Tu parles tout seul ?
– Non, je parle à Mirette.
– T'es taré ou quoi ?
– Non, je ne suis pas taré », baragouine Mathieu, vexé.

Vanessa rigole dans sa barbe :

« Mirette, t'es là ? Mireeette ! se moque-t-elle, et elle ajoute : Mirette, c'est pas un ange, hein…
– Ben si, dit Mathieu, moi, je l'entends.
– C'est dans ta tête.
– Pourquoi t'es là-haut ? J'ai rajouté une bûche, ça chauffe, ici, dit le petit.
– Ça me fait chier de me taper les parents. Surtout Pam, elle me gonfle.
– Elle est fatiguée, peut-être.
– Tu parles, elle fout rien ! Qu'est-ce qu'on s'emmerde… »

Mathieu fouille sous le canapé et en sort un jeu de Trivial Pursuit. Il cherche une question qui pourrait retenir sa sœur. N'en trouvant pas, il tente :

« Tu veux que je te raconte une histoire ?

– Ça va pas, non ? Tu me prends pour qui ?

– Putain, je peux plus fumer… T'as rien ? » balance Samuel, débarquant dans le couloir.

Il descend et fonce vers le bar pour attraper la première bouteille d'alcool qu'il trouve. C'est du gin. Il boit au goulot, d'un air morne et silencieux.

« Non, je fume plus, lui répond Vanessa. Ça me fait gerber.

– Question ! crie Mat. Qui composait les musiques des films de Charlot ?

– Lui-même ! fait Sam.

– Bravo ! C'est ça !

– Quelle est la chanteuse qui a chanté “Bad Romance” ?

– Lady Gaga ! » lance Vanessa.

Mathieu, tout agité, continue de poser des questions en série à son frère et sa sœur afin qu'ils restent près de lui.

J.-P. revient, couvert et transpirant, s'assied non loin de ses enfants, sur un des fauteuils qu'il débarrasse de frusques avant d'y laisser tomber son grand corps. Il ne dit rien et reste là à les regarder jouer, absent. Il a l'air égaré, essoufflé. Ses yeux balaient la pièce et se posent sur sa fille qui s'est rapprochée de ses frères, participant de temps en temps au jeu. Tous sont là, assis autour d'une bougie et du feu qui les éclairent faiblement. Tous, sauf Pam.

« On se les gèle, même ici, marmonne Vanessa.

– Il fait plus chaud en bas si tu veux, dans la cave, répond son père.

– Certainement pas, c'est sinistre et y a rien. Déjà qu'ici c'est la misère…

– Ouais, et moi j'ai la dalle, enchaîne Samuel.

– Rien ne vous empêche de manger, dit J.-P. en regardant sa montre, qui indique 13 h 42.

– On n'a qu'à faire cuire un truc sur le feu ! Un barbecue ! lance Mathieu.

– Ça va puer partout dans la maison ! Et puis c'est pas l'heure de faire un barb...

– Mais on s'en fout ! C'est marrant ! » dit Samuel en ouvrant la porte de l'entrée pour pénétrer dans le tunnel.

Il creuse avec une des pelles restées là, pour tenter de retrouver un bout de viande à cuire sur le feu. Il extirpe un carton de steaks hachés.

« Yes ! J'ai retrouvé de la barbaque ! »

Il revient avec sa pêche miraculeuse.

« On n'a qu'à essayer ça ! dit-il. Qu'est-ce que vous en pensez ? Ça va déchirer...

– Ouais ! crie Mathieu, avec des patates en robe de chambre !

– Quoi ? demande Vanessa.

– C'est Mirette qui m'a appris : on met les patates dans du papier d'aluminium et on les pose dans le feu, où ça cuit...

– Tu nous gonfles avec Mirette », râle Vanessa.

Mathieu ne dit plus rien. Il cherche un appui du regard, son père, ou Samuel peut-être, mais ils pensent à autre chose. Tout le monde range les restes de la veille et le petit s'occupe du feu, préparant les pommes de terre dans leur « robe de chambre » en papier d'alu.

« Elle est pas coincée sous la neige, Mirette ? Hein ? Peut-être qu'elle est coincée sous la neige. Il faudrait savoir où elle est, et aller la chercher ! dit Mathieu, soudain paniqué.

– Mais bien sûr que non ! Elle a dû rentrer chez elle, calme-toi… dit J.-P.

– C'est parce qu'elle lui cause, Mirette, balance Vanessa, sournoise. Il entend des voix, le gars ! Comme Jeanne d'Arc ! Il entend Mirette qui lui parle… Il pète les plombs quoi, comme nous ! »

Vanessa s'arrête enfin. Samuel et J.-P. la fixent.

« Ben quoi, c'est vrai ! Dis-leur, que tu parles tout seul ! »

Mathieu baisse la tête, honteux et gêné.

« Et toi, Vanessa, tu parles pas toute seule ? demande Sam. Moi, je parle tout seul aussi… Ouais, je parle putain de tout seul… parce que j'ai pas de musique, plus d'herbe et que je vais devenir taré et tout péter, alors s'il te plaît, arrête de nous faire chier !

– Ça va ! Ça va ! tente J.-P. pour calmer les choses.

– Ben non, putain, ça va pas, on est comme des cons, là ! C'est quoi ce truc, ça commence à devenir relou et il va falloir trouver quelque chose, non ? crache Vanessa.

– Attendre et se calmer ! Voilà ce qu'il faut trouver. Et vous allez pas commencer à gueuler comme votre mère, parce que sinon, ça ira vraiment, mais alors vraiment plus du tout, d'accord ? Moi je viens de creuser partout où j'ai pu pour faire des courants d'air, pour vous, pour que vous ayez un feu qui vous réchauffe, alors on se calme et on prend tout ce qui est bon, OK ? Et on parle tout seul tant qu'on a envie de parler tout seul ! D'accord ? On fait ce qu'on veut, on fait ce qu'on peut ! »

Les enfants regardent leur père, comprenant le message de la mise en veilleuse urgente.

« On peut aussi se parler à nous… Enfin… ensemble, dit Mathieu dans un souffle d'espoir et une tentative de redoux.

– Ben, qu'est-ce qu'on fait, là ? demande J.-P.

– C'est nul... J'ai rien à vous dire, moi, je veux mes copines, balance Vanessa en allant bouder dans un coin de la pièce. Putain de chauffage qui marche pas. C'est ringard, ce vieux feu, là, qui chauffe rien. Nul... ça va être dégueu, la bouffe là-dessus !

– Mais personne ne t'oblige à manger... Ni à nous dégoûter », dit J.-P.

Quatre bougies éclairent les trois hommes et Vanessa, qui reste en retrait. Les lampes torches donnent une lumière plus froide, mais plus dense. Le père et ses trois enfants fixent la viande, qui tente de cuire sur une grille posée sur des braises plus grises que rouges.

« On n'a pas l'air cons, comme ça », bougonne Vanessa.

Samuel sourit bêtement en fixant sa sœur.

« On dirait un chihuahua en rut... » lui balance-t-il.

Vanessa aboie.

« C'est de famille, les gonzesses qui aboient », ajoute-t-il.

J.-P. regarde son fils, puis le feu, et ne dit rien. Mathieu fixe les flammes. Le silence flotte comme une menace.

« C'est quoi, "en rut" ? » demande Mathieu.

Samuel brise le vide en pouffant dans son début de barbe noire. Il regarde son petit frère et lui sourit.

« Demande au daron... »

Débâcle

« Qu'est-ce qui sent cette odeur de graillon ? jette Pam, apparue en haut de l'escalier, son téléphone à la main.

– On fait un barbecue, papa nous a permis », crie Mathieu.

Pam fusille J.-P. du regard.

« Merci de me demander mon avis... Ça sent dans toute la maison ! Vous ne pouvez rien manger d'autre ?

– C'est juste une petite grillade, on nettoiera après... »

Pam se précipite comme une furie vers le store de la baie vitrée et tape dessus violemment.

« Mais il n'y a pas un moyen d'ouvrir ces satanés stores ? C'est pas vrai ! C'est minable... On est là, comme des pauvres handicapés, coincés parce qu'il n'y a plus de jus à cause de cette saloperie de neige... On va pas se laisser bloquer quand même, merde ! »

Déchaînée, elle tente de soulever le store de toutes ses forces après avoir ouvert la vitre coulissante. Elle disparaît vers le garage, réapparaît avec une hache et cogne la baie vitrée si fort qu'elle se fend, puis se brise. Continuant son assaut guerrier, elle attaque la neige glacée, brandissant son arme tranchante comme pour tuer quelqu'un.

« Bon, maintenant ça suffit... Ça suffit, les cris et les coups, y en a marre ! » hurle J.-P. en se levant pour empêcher son animal de femme de continuer, lui arrachant l'outil des mains.

Le petit Mathieu disparaît dans le garage, effrayé.

« Oh, là là ! Ça recommence ! » lâche Samuel.

Pam se débat dans les bras de son mari.

« Mais laisse-moi ! Laisse-moi le faire, puisque toi, tu n'es pas capable !... T'es capable de rien ! Tu ne fais jamais rien ! Tu ne fais rien ! Rien !

– Et les trous que je creuse pour que madame puisse respirer ! Hein ? C'est quoi ? De la merde ? Je vais les reboucher si tu veux, et on crèvera tous ! Au moins, tu gueuleras plus, bordel ! »

Pam rigole par provoc, gigotant comme un fauve capturé dans un filet. Elle frappe, se dégage de lui, trébuche, se redresse, et va dans la cuisine.

« T'as réessayé de téléphoner, au moins, au lieu de jouer à la guerre du feu ? lance-t-elle.

– Mais il faut que tu arrêtes, avec tes histoires de téléphone ! lui renvoie J.-P., c'est fini, le téléphone, y a plus de téléphone, on a été pris dans une tempête ou une avalanche ! Il n'y a plus de réseau ! Ça va rentrer dans ta tête, à un moment donné ? J'appelle, j'arrête pas d'appeler, ça ne répond pas ! Y a rien ! C'est mort ! Tu entends ? Tu comprends ou il faut que je le répète ?! C'est mort ! Il n'y a plus rien, et je ne peux rien faire. Tu peux hurler si ça te fait du bien, et nous, on va attendre que tu te calmes... Voilà, on attend, c'est tout ce qu'on peut faire, et toi aussi. Y a rien d'autre que nous cinq, là... il va bien falloir que tu l'acceptes. Nous... avec rien, rien que nos efforts pour que les choses se passent au mieux. C'est clair, comme ça ? »

Les mots sont sortis de l'homme comme un jet de lave. Les trois enfants sont assommés.

« Ah oui ? Elles sont où, toutes tes relations ? enchaîne Pam. Tes réseaux ! Ton agenda surbooké, ton fric ? T'es pas capable de nous libérer de ce trou ? Pour qu'on sorte de cette caverne préhistorique ? Non ? T'es pas capable, bien sûr !... » s'acharne-t-elle sur son mari, qui ne réagit plus.

Elle prend un verre qu'elle remplit de whisky. À ras bord.

« Bon, t'arrêtes ou je casse tout, dit J.-P., très convaincant.

– Hé, c'est bon, là ! Ça va pas ou quoi ? Soyez cool, pitié ! Arrêtez de vous engueuler, ça sert à rien ! »

Pam réapparaît de la cuisine avec un yaourt maigre et se campe devant sa fille, mauvaise.

« Nous faisons absolument ce que nous voulons ! Et puis tais-toi ! Je suis ta mère ! » hurle Pam à la figure de sa fille en dégageant le casque d'une de ses oreilles.

Vanessa se détourne de ce corps qui l'envahit dans son espace, en lui lançant un « Oh ça va, nous aussi on fait ce qu'on veut ! » d'une agressivité rentrée, mais cinglante. Pam fiche une gifle à sa fille. Comme une furie soudain éveillée, Vanessa bondit sur sa mère :

« T'es malade ? Qu'est-ce qui te prend ?

– Arrêtez ! Stooop ! hurle J.-P.

– Pardon ? Non mais vous êtes tous devenus fous, ici ! Tu ne me parles pas comme ça ! Tu n'as pas à me parler comme ça ! » continue Pam un ton au-dessus, s'adressant à sa fille.

Vanessa jauge sa mère comme si elle allait lui sauter dessus :

« Ah ouais ? Ah ah ah ! Elle est marrante, celle-là ! Ah ouais ? Parce qu'on se parle ? Génial... Hé ! Je te signale que j'ai grandi, t'as oublié ? Je suis plus une gamine... Normal que t'aies oublié, parce que moi, j'avais zappé que j'avais une mère ! » crie Vanessa en dirigeant une télécommande imaginaire vers son ennemie.

Interdite et piquée, la femelle regarde son mari abasourdi.

« Mais... fais quelque chose ! Tu laisses ta fille me traiter comme un chien ? »

J.-P. reste inerte. Pam harponne sa fille de ses yeux.

« Tu as vu ce que tu es devenue ? Tu me mets tout sur le dos... Tu as vu ce que tu es ? C'est toi qui me dis que tu me vois plus ? Mais et toi ? Tu es où, toi ? Hein ? Où ? Je ne sais même plus qui tu es !

– Moi non plus, je sais pas qui tu es ! Depuis longtemps.

– À qui la faute ? À qui la faute ? reprend sa mère.

– Toi ! assène Vanessa. C'est de ta faute, à toi. Et tu peux me foutre des claques tant que tu veux... C'est sûrement pas à cause de moi que ma mère est une pute. »

Vanessa retourne vers l'escalier.

« Bloque ta sœur, dit J.-P. à Sam.

– Quoi ?

– Tu l'empêches de monter. Vanessa, tu ne restes pas seule. »

Samuel exécute l'ordre de son père et court après sa sœur, l'enserrant de ses bras. Pam est figée sur place. Soudain animée par sa rage chronique, elle avance, menaçante, vers sa fille, et amorce un geste violent aussitôt interrompu par J.-P., qui la bloque à son tour. Les deux femmes se débattent comme des furies.

« Oh ! mais elles sont ouf les meufs, là, on est passés au film coréen, ou quoi ? Hé, là, doucement, les panthères ! » crie Sam en aidant son père.

Petit à petit, Pam et sa fille se ressaisissent. Les deux hommes lâchent prise. Pam s'accroche à la rampe de l'escalier pour le gravir, en se recoiffant, de dos. Samuel rit sourdement. Vanessa, tremblante, va se cacher dans le garage. Sam la suit du regard. Il voit sa silhouette s'écrouler dans la pénombre de la pièce froide. Vanessa gît par terre, agitée de spasmes. De la bave sort de sa bouche.

« Hé ! Y a Vanessa qui... Oh putain... Qu'est-ce qu'il faut faire ? Hé !... » crie Sam en se précipitant sur sa sœur.

J.-P. accourt à son tour et met sa fille sur le côté.

« Oh merde ! J'en étais sûr... Je savais que c'était une crise d'épilepsie. Sam, prends ton frère, je m'en occupe. Ça va aller », dit J.-P., affolé.

Pam réapparaît.

« Qu'est-ce qui se passe ?

– Je m'en occupe, répond J.-P.

– Même si tu t'en occupes, dis-moi ce qui se passe, répète-t-elle.

– Ta fille fait une crise d'épilepsie. »

Pam s'approche.

« Quoi ? Mais pourquoi ? Elle a déjà eu ça ?

– Non... Elle n'a jamais eu ça. Enfin, j'en sais rien... Je sais pas. On voit jamais nos enfants. »

J.-P. part dans une sorte de fou rire en serrant sa fille calmée et affaiblie dans ses bras.

« Tu m'as fait peur. »

Il est secoué par un rire suintant de désespoir. Pam le regarde, les yeux vides, un long instant.

« Elle est pas morte, faut pas exagérer », dit-elle en s'éloignant vers l'escalier.

Mathieu pleure dans les jambes de son frère.

« Je veux que Mirette vienne...

– Arrête de chialer comme une gonzesse ! Et puis tu nous gonfles avec Mirette ! "Hé, Mirette ! lance Samuel dans le vide, comme s'il s'adressait à elle. Tu nous lâches un peu ? Ou alors rapplique et sors-nous de là ! Mirette ! Mirette !..." »

Ébranlée mais tâchant de le cacher, Pam se recoiffe de la main gauche et repart se réfugier dans la cuisine, marmonnant dans sa barbe :

« À quoi ça sert tout ce fric qu'on a amassé, si on reste coincés ? On est comme des rats dans ce trou, avec en plus cette histoire de crise d'épilepsie ! On a l'air de quoi ? Comment se fait-il que personne ne m'ait dit que ma fille était épileptique ? Merde ! »

Pam a beau s'éloigner, on entend tout ce qu'elle dit, surtout son mari, à qui ce flot incessant et visqueux est adressé.

« Mon fric, comme tu dis, notre fric, tu en profites bien, excuse-moi... dit J.-P., installant sa fille assommée sur le canapé.

– J'en profite parce que c'est ce que tu as de mieux à me donner », jette Pam en guise de K.-O.

La tête de J.-P. se tourne lourdement vers sa femme.

Mathieu suit de ses yeux tristes sa mère qui s'efface dans le noir de l'escalier, blessée, méprisante, replaçant sa mèche. Tout le monde accuse le coup et va s'asseoir devant son assiette.

« Qu'est-ce qu'elle a ? chuchote Mathieu, timide.

– Je sais pas, lui répond J.-P., assommé.

– Ça va ?... » demande-t-il à sa fille, qui acquiesce mollement.

Ils essaient de manger la chair rouge pas assez cuite qui attend dans les assiettes froides et abandonnent les patates crues. Le père rompt le silence.

« Demain, on arrivera sûrement à avoir un contact. La tempête a dû être plus forte que d'habitude. On en est au troisième, quatrième jour ? »

Il consulte sa montre, fronçant les sourcils.

« ... Troisième, non... quatrième... Je sais plus, c'est pas grave. On s'en sort pas si mal, quoi qu'en dise votre mère. Mais il ne faut surtout pas paniquer.

– On panique pas, dit Samuel, au moins on s'est réchauffés.

– Oui... Enfin bon, il faut pas s'affoler en tout cas, ça ne sert à rien.

– Pas comme maman, dit Mathieu. Elle panique.

– Oui, peut-être... Sûrement. Oui. Elle doit paniquer un peu.

– Panique... Pas nique... PAS NIQUE... PAS NIQUE ! Pas nique, non non non... Je vais pas niquer ce soir, ça c'est sûr putain !... Pas nique, pas de nique, olé olé olé, pas nique, je vais pas niquer ce soir... Ahouhhouh ! » hurle Samuel en dansant, un peu saoul.

Son père le regarde, interdit. Vanessa se marre. Le petit aussi.

J.-P. a un sourire nerveux.

« Tu deviens débile, toi, ou quoi ?

– Oh putain, si on peut plus rigoler ! On peut rien dire, dans cette baraque !... C'est le froid, ça gèle les neurones. On a dit qu'on faisait ce qu'on voulait, râle Samuel en repartant vers sa chambre.

– Sam ! lance J.-P.

– Quoi ? répond Sam en traînant la savate sur les marches qui montent à l'étage.

– Reste... »

Samuel se retourne vers son père et le regarde. On lit dans ses yeux une interrogation furtive, un éclair de surprise heureuse qui dure une fraction de seconde. Puis il revient s'asseoir.

J.-P. se lève et empile les assiettes pleines. Ses enfants le regardent, étonnés.

« On va pas manger ça, hein ? On est d'accord ? Vous m'aidez ? » demande-t-il.

Les enfants débarrassent les assiettes pour aller les déposer dans l'évier, sauf Vanessa, restée assise.

« Laissez comme ça, y a pas d'eau, de toute façon, ajoute J.-P. en fouillant dans les placards, dont il sort des chips, des gâteaux secs, des conserves de compotes et confitures diverses. Quelqu'un veut un truc mangeable à grignoter ? Du froid ? Y a du froid ! Y a beaucoup de froid... »

Sam ouvre le réfrigérateur, quasiment vide.

« J'ai pris le Nutella, j'peux le redescendre, dit Vanessa doucement.

– Cool, mais bouge pas d'ici, dit Samuel, je vais le chercher... »

Un pique-nique froid se fait dévorer sur la table basse. Mathieu ne quitte pas son père du regard et sourit sous cape.

« Qu'est-ce qu'il y a ? demande J.-P.

– Rien, dit Mathieu. On joue au jeu des secrets ?

– Oh, mais tu nous bassines, avec tes jeux. On n'est pas obligés de faire des trucs... On est cool, là, non ? dit

Vanessa, la main tâtant régulièrement son ordinateur comme pour se rassurer.

– C'est la première fois qu'on bouffe ensemble, non ?

– Oui ! répond Mat à son grand frère.

– Chut, s'il vous plaît. Celui qui joue, il joue, celui qui veut pas, il fait ce qu'il veut », dit J.-P.

Vanessa se lève, boudeuse, mais son père la rattrape par le bras, au vol. Elle se dégage mais se rassied à sa place, dans le groupe.

Mathieu commence :

« C'est le jeu des secrets. Tout le monde doit dire un secret, un vrai, sinon, ça marche pas, enfin ça compte pas, et puis c'est pas marrant...

– J'ai aucun secret à vous dire, moi ! C'est naze ! » recommence Vanessa.

J.-P. la regarde et elle comprend immédiatement qu'il faut qu'elle arrête. Elle se réfugie dans un magazine, remettant son casque sur ses oreilles, même s'il est muet.

« Alors... Un secret..., dit Sam, en se marrant. Euh... J'ai pissé dans mon lavabo ce matin. »

Mathieu pouffe, J.-P. ne réagit pas.

« Oui, mais ce n'est pas un vrai secret, ça », dit Mathieu. Puis il lance à son père :

« Et toi ?

– Moi, alors..., dit J.-P. en réfléchissant. Un secret... Pas facile... »

L'homme réfléchit longuement, les regards sont suspendus.

« ... Vanessa... Quand tu es née, ta mère a été malade, et il a fallu te séparer d'elle. Elle en a beaucoup souffert. Et... Et... Je ne sais pas pourquoi je vous raconte ça... Mais...

quand elle a pu te récupérer, tu avais déjà trois mois, c'était mamie qui te gardait, et ta mère disait que tu ne la reconnaissais pas... »

Vanessa, qui sent qu'on l'observe, lève les yeux et se dégage une oreille. J.-P. la regarde avec douceur et continue.

« Elle s'est enfermée dans notre chambre et ne voulait voir personne, même pas Sam... Et le lendemain elle est sortie, s'est habillée, m'a demandé de l'emmener chez mamie, elle a pris Vanessa, l'a tenue comme un trésor qu'on pourrait lui arracher, est montée dans la voiture et m'a demandé d'aller à la maison. Là, elle s'est enfermée avec Vanessa, avec toi, dit-il à sa fille, dans notre chambre. Elle n'a pas voulu te quitter, même la nuit... Moi, je dormais sur le canapé, et elle, avec toi. Ça a duré deux, trois mois... Voilà... Et parfois, Sam venait me rejoindre sur le canapé. »

Têtes touchées des enfants... Vanessa baisse les yeux et ne dit rien.

« Et moi, un jour, y a une dame qui s'appelait Gisèle, et elle est venue à la maison, tente Mathieu. Et j'étais même pas né, mais c'est Mirette qui me l'a dit...

– Quoi ? lancent J.-P., Vanessa et Samuel en chœur.

– Oui... continue Mathieu. Même qu'elle était peut-être une amie de maman ou de papa... Ou une maîtresse... Comme le dirlo qui en avait partout dans l'école, des maîtresses... » dit-il sans trop savoir dans quoi il s'est embarqué.

J.-P. observe son fils, sourit, comprend peut-être, et éclate de rire :

« Gisèle ? Une maîtresse ? Ma maîtresse ? Hein ? C'est ça que tu veux dire, non ? Mais Gisèle, c'est ta mère, Mathieu ! C'est votre mère ! »

Le petit fixe son père et rougit d'un seul coup. Tout lui revient, les mots, les paroles d'amour de la lettre, en rafales. Il est assommé par la nouvelle :

« Mais, alors... vous vous aimez ? »

J.-P. regarde son fils, douché par la question, si évidente, dont la réponse tarde à venir. Il détourne les yeux, réfléchit et lâche un faible « oui » pas vraiment incarné, en bulle de savon qui vacille et éclate dans l'air.

« Putain de secret, dit Sam, je savais pas que maman elle s'appelait Gisèle avant... Pas étonnant qu'elle ait changé de nom, la daronne...

– T'as dit "maman" », dit Vanessa en pouffant...

Sam la regarde.

« Hein... Ben quoi ? Maman... Maman... Mamaaannn ! Mamaann ! Voilà, t'es contente ?

– Hé, j'ai droit à quoi pour ce secret incroyable ?... Que vous vous garderez bien de raconter à votre mère, s'il vous plaît, demande J.-P. avec autorité.

– T'as raison, sinon bonjour Tchernobyl... Là, on meurt tous... »

Ils se marrent en s'imaginant appeler leur mère « Gisèle ».

« "Comment tu vas, Gisèle ?..." Trop fort ! balance Sam. Ou alors "Gigi" ! Ouais, ça c'est bon... Gigi !

– Allez, on arrête... Vous avez pas un autre secret ? Vanessa ? Il reste Vanessa... dit J.-P.

– J'suis enceinte », dit-elle brutalement.

J.-P. se fige, la regarde. Les trois hommes sont rivés sur la jeune fille qui se met à rire très fort, noyant ce qu'elle vient de dire. Personne ne peut déceler la vérité.

« Sérieux ? dit Sam. Remarque, ça serait cool, franchement... Pourquoi pas ? Moi, j'adore les petits. »

Mathieu sourit, prenant un peu ça pour lui.

« Mais non ! Je déconne ! Ah ! Je vous ai bien eus », reprend Vanessa, très fière d'elle.

J.-P. l'interroge des yeux, mais Vanessa esquive et ne fait que rigoler. Comme J.-P. insiste, elle en rajoute et fait le pitre, soudain sortie de sa coquille. Mat et Sam la regardent, heureux. J.-P. suit ce mouvement de bonheur furtif, cet instant surprenant où sa fille s'exprime et devient belle, tout à coup, vivante. Il reconnaît imperceptiblement Pam-Gisèle, quand elle était jeune, et sa sauvagerie qui l'avait tant séduit. Le bébé, vrai ou pas, dans le ventre de Vanessa, est oublié dans le flot des secrets.

Personne ne bouge. Chacun repense à ce qu'il a entendu, inventé ou révélé. Tous les quatre grignotent en silence, les yeux plongés dans les flammes lentes et molles du feu toujours aussi discret. C'est comme s'ils soufflaient dessus de leurs regards appuyés.

Mathieu espionne de temps en temps son frère, sa sœur ou son père, du coin de l'œil, se faisant tout petit pour ne pas provoquer, ne rien gêner. Il est secrètement content d'être parmi les siens, près d'une source de chaleur, si faible soit-elle. Il ne veut pas que ça change. La cheminée est leur point de convergence, elle les réunit, enfin. Mathieu se demande ce que chacun pense, en se disant que c'est peut-être la même chose que lui.

« Que va-t-il se passer si personne ne vient ? Est-il possible que personne ne vienne ? Les choses vont-elles continuer comme elles sont aujourd'hui ? »

Les quatre veilleurs de feu se sont assoupis et dorment les uns plus proches des autres, à la place exacte où ils étaient tout à l'heure. Quelques bougies dansent, accompagnant les mouvements frêles des flammes.

Le visage de Pam apparaît en haut de l'escalier. Elle guette, observe, hésite. Puis elle repart dans son domaine. Elle fait les cent pas sur la moquette vieil or de sa chambre, habillée dans une tenue très chic, prête pour une soirée de gala, puis ressort dans le couloir, sur la pointe des pieds pour empêcher ses talons de claquer sur les dalles du sol et ne pas réveiller tout le monde. Elle regarde du haut des marches le groupe qui dort. Mais Mathieu a senti le regard de sa mère. Il entrouvre les yeux et regarde sans être vu.

Puis il la voit repartir, puis revenir, chargée d'un couvre-lit en fourrure et de deux magazines. Il sourit discrètement, soudain pris d'une folle envie de crier de joie. Mais il se retient. Il entend le frottement de ses chaussettes en laine sur les marches en marbre, mais ne bouge pas d'un cil. Pam rôde autour du groupe, en bas, comme un vautour cherchant un endroit où se poser. Enfin, elle étale sa grande couverture à gauche de la cheminée, pas trop loin des marches de l'escalier, au cas où elle aurait une envie soudaine et irrépressible de remonter et d'être seule. Mais elle a trop froid, et se réchauffe un peu près des petites flammes et du groupe. J.-P. remue légèrement. Mathieu fait semblant de changer de place pendant son sommeil, alors qu'il guette sa mère depuis tout à l'heure. Pam reste là, sans bouger, puis remonte et revient avec une bouteille de blanc dont elle se sert une bonne rasade. J.-P. remue encore, ouvre un œil, regarde sa montre, qui indique 04 h 07, puis il voit sa femme, mais ne dit rien.

Pam a remarqué les yeux fuyants de J.-P. Elle lit, à la lueur d'une bougie, un magazine de beauté. Entre deux brefs assoupissements, la femme remonte régulièrement dans sa chambre, rapportant quelque chose de nouveau à chaque voyage, son manteau de fourrure, des écharpes et autres châles colorés et légers comme de longues plumes volantes, des mots croisés, puis un paravent qu'elle installe entre le groupe et elle.

Cinquième matin

En silence, les uns après les autres, ils se réveillent. Personne ne parle. Personne ne sait quoi dire. Les secours ne sont toujours pas là. Personne n'ose demander ni l'heure, ni ce qu'il s'est passé, ni ce qu'il va se passer, ni quoi que ce soit. Chacun craint la réponse. Les quatre habitués de l'espace dortoir, près du feu éteint, remarquent Pam, la nouvelle arrivée, cloîtrée derrière sa cloison ridicule. On se croirait à une veillée funèbre. Le silence et le vide sont rois, ils se font la conversation, et leur dialogue est morbide.

Mathieu sent son cœur qui bat et n'ose pas rompre la tension. Sans trop savoir pourquoi, il a un poids sur le cœur, un étrange sentiment de peur. Vanessa prend son ordinateur sur ses genoux. Pam la regarde furtivement, se lève, monte les escaliers et revient avec le sien, imitant sa fille, comme une automate s'armant d'un bouclier. J.-P. lit un vieux journal puis copie les deux femmes et pose son portable sur ses genoux. Le petit garçon prend un livre et se plonge dedans pour se cacher. Samuel observe le groupe en souriant de dépit et de mépris et se sert une goulée de whisky.

« Ah ouais ! Les ordis ! Alors, vous pariez que le courant va revenir aujourd'hui ! Hein ? C'est ça ? Je vous suis ! » dit Samuel en montant.

Il revient très vite, son ordinateur à la main, qu'il branche sur une prise derrière le canapé avant de se vautrer et de retrouver sa place près de la table basse.

Les cinq corps posés dans la pièce comme de nouveaux meubles sont en attente. Ils muent, découvrant une nouvelle existence. Ils réalisent que leur isolement s'éternise anormalement. Ils ne se parlent pas. Personne n'émet ni son ni mouvement. Chacun semble réfléchir et se poser un milliard de questions.

Mathieu lève de temps en temps les yeux de son livre et écoute la force du silence. Son père, sa mère, son frère, sa sœur ne partent plus. C'est merveilleux et terrifiant en même temps. On est ensemble, on se voit comme on ne s'est jamais vus. Il n'y a plus rien et il y a tout. C'est un paradis et un enfer. Le poids de ce vide fait place à de drôles de pensées et alourdit son cœur. Les deux femmes se lèvent de temps en temps pour aller grignoter quelque chose. Personne ne souffle mot. Sans doute par peur de déclencher une nouvelle bagarre, un nouveau problème, de devoir se séparer, alors que le feu devient essentiel. Mathieu a le ventre qui gargouille. Il se lève après quelques minutes de réflexion, n'en pouvant plus, bravant sa timidité et sa peur, et rapporte de la cuisine un litre de lait, des tasses et du chocolat en poudre. Il se sert sans rien dire et en propose par gestes à sa sœur, qui refuse gentiment, muette, puis à son frère, qui accepte. Il s'arrête là, n'osant pas adresser la parole à ses parents.

« Et nous, on n'existe pas ? » dit J.-P.

Sa voix résonne dans le froid de la pièce. Mathieu sourit à son père et lui sert une tasse. Pam est ailleurs, elle se voit dans les robes et les chaussures en papier glacé de son magazine de mode, derrière son paravent. Deux ou trois bougies éclairent la pièce en plus du feu. Les lampes leur font concurrence, dressées vers le plafond, comme deux tours. Le tout est joli. Comme sur les routes où la lumière naturelle du soleil couchant se mélange aux électriques phares jaunes ou rouges des voitures. Les trois hommes boivent du chocolat froid.

J.-P. est accroché à son portable, qu'il consulte machinalement, comme une vieille habitude, toujours dans le secret espoir qu'il réagisse. Vanessa frissonne et balance son buste de façon saccadée et maladive :

« Je vais crever sans réseau... Je crève, j'étouffe sans mon phone... sans mon ordi... »

Samuel chantonne, la tête sous son casque muet. Il remue tout seul sur ce qu'il fredonne. Le petit Mathieu regarde ses parents. Il fixe sa mère. Les corps plantés, calés dans les fauteuils, semblent ne pas savoir quoi faire d'eux-mêmes.

« Que c'est pénible, ce calme... ce silence de mort... Ce vide », prononce Pam lentement, rompant le ronron glaçant de l'atmosphère silencieuse. Tous se regardent. Pam n'a pas crié, c'est un événement.

« Y a pas la télé, c'est pour ça... » chuchote Mathieu d'une voix fluette et triste.

Pam sort la tête de derrière sa cloison de pacotille et regarde son fils, l'œil vide. Pendant ce temps, Samuel remet le disque des *Bisounours*.

« Oh non, merci... Tu as pas autre chose ? » dit Pam.

Soudain, c'est la voix de Mathieu qui s'élève :

« *Jigéen ji ci yaramu neen ji, jigéen ju ñuul ji*
Soloo sa melo biy dund, sa bind biy taar

Ci sa taqandeer la màgge ;
sa nooyaayu yoxo doon yiir samay gët
Léegi nak ci xaaju lolleek diggu bëccëg », chante-t-il tout à coup en fermant les yeux.

Sa mère ressort sa tête de sa boîte et le regarde, les yeux ronds.

« Qu'est-ce que c'est que ça ?

– Une chanson de Mirette, répond Mathieu.

– Ah, dit Pam. Et tu peux traduire ?

– *"Femme nue, femme noire vêtue de ta couleur qui est vie, de ta forme qui est beauté, j'ai grandi à ton ombre, la douceur de tes mains bandait mes yeux et voilà qu'au cœur de l'été et de midi, je te découvre, terre promise, du haut d'un haut col calciné et ta beauté me foudroie en plein cœur, comme l'éclair d'un aigle..."* »

La petite voix de cristal reste en suspens dans l'air figé. Les mots du poème voltigent et réchauffent la grande pièce.

« C'est joli... Pourquoi tu me regardes comme ça ?

– Pour rien... dit Mathieu, gêné.

– Je sais que j'ai une tête affreuse, grogne Pam.

– Mais non...

– Bon ben alors, ne me regarde pas comme ça... On dirait que tu m'as jamais vue.

– Mais il t'a jamais vue ! » claironne Samuel.

Pam fixe son fils aîné. J.-P. regarde Pam.

« Vous êtes tous ligués contre moi, ou quoi ? demande-t-elle.

– Mais non, je te charrie ! » dit Samuel, aimable.

Rire jaune de Mathieu.

« C'est nul qu'on puisse même pas regarder la télé alors qu'on va pas au bahut, dit Vanessa qui fulmine, son ordi sur les cuisses.

– Mais c'est bien, les jeux, pourquoi on n'essaie pas en vrai ? demande Mathieu en sortant les boîtes amassées sous le canapé, tout content et très enthousiaste. On le fait jamais, on peut essayer, pour une fois... Juste pour voir ! Allez !

– C'est ringard, ces trucs-là, franchement ! Ça m'emmerde ! Je veux mes copines ! Je veux aller sur Facebook, j'veux tweeter, j'avais plein de trucs à faire sur Facebook ! Je veux pas de ces trucs pourris », pleurniche Vanessa en remettant son casque inerte sur ses oreilles.

J.-P. se prend la tête dans les mains, on dirait qu'il va tomber tellement il a l'air fatigué.

« Arrête de te plaindre, s'il te plaît », souffle-t-il.

Vanessa regarde son père, voulant dire quelque chose, mais elle sent que tout le monde l'observe.

« Arrête de gueuler, s'il te plaît... » termine-t-il lourdement.

Sam attrape un vieux quarante-cinq tours au hasard et le glisse dans le mange-disque.

Léo

Un petit grésillement, suivi d'une voix d'homme chaude et douce, emplit la pièce de son velours unique.

On s'aimera
Pour un quignon de soleil
Qui s'étire pareil
Au feu d'un feu de bois
On s'aimera
Pour des feuilles mourant
Sous l'œil indifférent
De monseigneur le froid

On s'aimera cet automne
Quand ça fume que du blond
Quand sonne à la Sorbonne
L'heure de la leçon
Quand les oiseaux frileux
Se prennent par la taille
Et qu'il fait encore bleu
Dans le ciel en bataille

Mathieu s'éclaire comme une étoile : « C'est beau ! »

Son petit corps tangue au son des violons qui accompagnent la voix.

On s'aimera
Pour un manteau pelé
Par les ciseaux gelés
Du tailleur des frimas
On s'aimera
Pour la boule de gui
Que l'an neuf à minuit
A roulée sous nos pas

On s'aimera cet hiver
Quand la terre est peignée
Quand s'est tu le concert
Des oiseaux envolés
Quand le ciel est si bas
Qu'on le croit au rez-de-chaussée
Et que le temps des lilas
N'est pas près d'être chanté

Léo Ferré projette les mots comme des flèches de lumière vibrantes dans l'espace clos et morne. Sa poésie résonne et rebondit, tantôt comme un ballon gonflé par son souffle léger, son âme bienveillante, tantôt portée par des anges excités aux ailes en feu qui tournoient et soufflent leur révolte. J.-P. s'est redressé et a dégagé ses oreilles nues. Elles semblent aspirer la pureté inattendue des mots et de la musique. Pam retire doucement son casque et ferme les yeux, bougeant à peine, pour ne pas être vue. Il se passe quelque chose d'indicible. Tout le monde est pris par la magie de cette voix chaude comme un rocher qui a bu du soleil, si douce, qui semble s'incruster dans le froid et l'absence, l'emportant sur eux.

« C'est qui ? dit Mathieu.

– Chut », coupe son père.

On s'aimera
Pour un tapis tout vert
Où comme les filles de l'air
Les abeilles vont jouer
On s'aimera
Pour ces bourgeons d'amour
Qui allongent aux beaux jours
Les bras de la forêt

On s'aimera cet été
Quand la mer est partie
Quand le sable est tout prêt
Pour qu'on s'y crucifie
Quand l'œil jaune du ciel
Nous regarde et que c'est bon
Et qu'il coule du miel
De ses larmes de plomb

On s'aimera ce printemps
Quand les soucis guignols
Dansent le french-cancan
Au son du rossignol
Quand le chignon d'hiver
De la terre endormie
Se défait pour refaire
L'amour avec la vie

On s'aimera
Pour une vague bleue
Qui fait tout ce qu'on veut
Qui marche sur le dos
On s'aimera
Pour le sel et le pré
De la plage râpée
Où dorment des corbeaux

« C'est Léo Ferré », lui confie sa mère.

Les visages semblent arrêtés, encore sous l'influence du parfum doux de la chanson qui vole autour d'eux. Ils semblent interdits, l'esprit suspendu à la poésie de la chanson, qui a éveillé en eux quelque chose d'enfoui.

« C'est qui, Léo Ferré ? » demande Mathieu.

Pam ébauche un sourire et regarde J.-P. furtivement, puis recouvre son oreille et replonge dans son magazine... J.-P. lève les yeux de ses papiers.

« Un chanteur qu'on écoutait beaucoup, avec votre mère... » dit-il, les yeux perdus dans le maigre feu.

Mathieu regarde ses parents.

« Ah...

– C'est marrant, dit Sam.

– Pourquoi il dit "Les bras de la forêt" ? C'est quoi ?... demande Mathieu.

– Les arbres, leurs branches, les bourgeons, décrit le père en mimant de ses bras un arbre qui s'étend. C'est de la poésie... Où vous avez trouvé ça ?...

– Dans un vieux carton au garage... répondent les deux fils.

– Je savais pas qu'on l'avait encore », marmonne J.-P. en replongeant le nez dans ses dossiers.

Mat regarde la pochette qui éclaire d'une bougie le visage d'ange du chanteur auréolé de sa crinière blanche.

« On dirait le Père Noël », dit-il.

Sam se marre.

« Remets-le, si tu veux... » dit-il.

Mat suit le conseil de son frère. La chanson redémarre. Pam se lève et va vers la cuisine où elle se cogne et tombe, mal guidée par le faisceau de sa montre. Elle se sert une rasade de vin rouge, alors que Léo Ferré chante une nouvelle fois « On s'aimera ». Mathieu remarque immédiatement la nervosité de sa mère et sort le disque de son appareil. Des sanglots étouffés s'échappent de l'endroit où elle s'est cachée.

« Qu'est-ce que tu fous ? C'était cool ! » râle Sam.

Aussitôt, Mat prend au hasard un autre vinyle et l'engouffre dans l'appareil à dévorer les disques. Earth, Wind and Fire explose. Mat se dandine, son frère le suit, et une idée le frappe soudain. Il attrape le Ghetto Blaster, l'ouvre et prend un CD de Tina. Après un clin d'œil à son frère qui a compris, tous les deux se mettent à enchaîner un bout de la chanson avec le bout de l'autre, ou à les jouer ensemble, dans une cacophonie exemplaire, puis, un morceau reprend le dessus, puis l'autre. C'est un « mix », ou plutôt un grand « remix ». Nous sommes dans une boîte de nuit expérimentale. Les deux DJ essaient toutes sortes de mélanges et observent l'effet qu'ils ont sur les autres. The Mamas & the Papas mixés avec Jack Lantier « *Dream a little dream of me*, youyou, mon joli petit bijou » ; Earth, Wind and Fire avec Piaf « *I start to dance in boogie wonderland*, emportée par la foule » ; Brel et les Stones « Ne me quitte pas, *Start Me Up* » ; Aznavour avec les Beatles « J'habite seul avec maman, Michelle, ma belle, sont des mots »...

La succession et l'accumulation de toutes ces chansons finit par n'en former qu'une seule, infinie. Malgré le flot de voix et de rythmes, tous très différents, « On s'aimera » semble planer encore dans les âmes et ne se mélange avec rien. Mathieu et Sam le rejouent furtivement, sentant que ce morceau est particulier car, dès que Ferré chante, Pam s'agite, troublée.

J.-P. et Vanessa se sont endormis. Samuel danse en faisant le pitre, imitant une fille qui se trémousse pour aguicher les mecs. Mathieu rit sans bruit, atténuant ses éclats.

« Ahhhh !... » hurle soudain J.-P., qui se redresse en respirant très fort.

Puis il revient à lui, écarquille les yeux. Mathieu et Samuel regardent leur père sonné, assis. Il a réveillé Pam et Vanessa qui le toisent, l'œil morne.

« Qu'est-ce qui se passe ? demande Pam.

– Désolé, bredouille J.-P., j'ai fait un cauchemar.

– Mais on est dedans. On est en plein dans le cauchemar. Pas besoin de dormir pour en avoir... » murmure-t-elle.

J.-P. se lève, lourdement, respirant bruyamment, comme s'il cherchait de l'air. Il tourne en rond dans la pièce, puis il ouvre la porte d'entrée et va dans l'igloo. Il respire, respire encore, comme un poisson hors de l'eau dans l'espace clair, cherchant l'air à grandes bouffées. Soudain, il s'arrête et regarde vers le haut. Il ne bouge plus, fixe ses yeux sur le plafond bas glacé et écoute encore. Il perçoit un bruit lointain, une sorte de ronronnement étrange.

« Hé ! Qu'est-ce que c'est que ça ? »

Il dresse la tête et touche les murs blancs glacés qui l'encerclent...

« Hé !... Hé ! continue-t-il en tapant. Par ici ! Venez ! Vite ! » crie-t-il en direction du living.

Mathieu est déjà là, et Samuel suit.

« Vous entendez ? C'est pas une avalanche, ça ! »

Samuel et Mathieu se figent à leur tour.

« Non, dit Sam, quoi ?

– Chut, dit J.-P., écoute bien. »

Samuel se concentre, Mathieu ferme les yeux.

« Moi, j'entends, dit-il pour soutenir son père.

– Écoute... Ils nous cherchent... Ils nous cherchent ! Ils sont là ! Ah ah ah ! Ils sont là et ils nous cherchent !

– Mais pourquoi ils nous trouvent pas, bordel ? demande Samuel.

– Mais parce que...

– Parce que ?

– Ils peuvent pas nous localiser s'il y a eu une tempête. Ils peuvent pas se poser, ils peuvent rien faire si ça souffle et qu'il neige encore. Ils doivent tout faire à pied...

– Ils vont nous trouver à un moment ? demande Mathieu.

– Chut... Oui... Bien sûr qu'ils vont nous trouver », dit J.-P. à son fils en reprenant une pelle qu'il cogne contre les surfaces qui l'étouffent.

Il se met à frapper comme un forcené.

« Bien sûr qu'ils vont nous trouver ! Bien sûr ! »

Il cogne et cogne encore. Au bout de quelques coups, il perd son souffle à nouveau et jette la pelle pour tenter de se calmer. En manque d'air, il quitte le tunnel blanc, traverse le living, monte l'escalier et se précipite dans son cabinet de toilette, dans lequel traîne un petit vaporisateur. Il attrape l'objet en plastique et le met dans sa bouche, aspirant fort. Sa respiration se régule, il s'apaise. Ses yeux tombent sur son visage, reflété dans le miroir de la petite armoire.

« C'est ridicule, cette histoire… C'est un cauchemar… Oui, c'est un cauchemar… On va se réveiller et tout va rentrer dans l'ordre… »

J.-P. redescend lentement les marches et revient à sa place, comme un automate. Il se pose dans son nid. Il ouvre machinalement ses dossiers et journaux sur son fauteuil entouré de paperasses. Pam se fait les ongles de pied, lit des journaux de mode, derrière son paravent qu'elle a imperceptiblement ouvert, de sorte qu'on peut apercevoir ses mains appliquant le rouge brillant sur ses doigts de pieds séparés par du coton. Elle évente la laque fraîche pour l'aider à sécher, se lève soudain et grimpe l'escalier. Samuel fredonne sans s'en rendre compte la mélodie de la chanson de Léo, en écrivant les paroles sur des feuilles blanches. Il les scotche sur les murs autour d'eux.

« Hé ! un karaoké fait maison, ça vous tente ? C'est là ! » lance-t-il à la cantonade, tout heureux, ne pouvant rester en place.

De temps en temps, il se lève et va dribbler avec le ballon de foot, dans le garage, pour ne pas déranger ni créer de conflits. Agité, il souffle dans sa trompette après avoir fermé la porte. Puis il revient au ballon, remet un autre disque. Il monte les marches quatre à quatre et va fouiller dans sa chambre pour vérifier s'il ne trouve pas un peu d'herbe dans un recoin, mais le désordre est tel, et l'obscurité si dense, que même avec une bougie ou l'écran lumineux de sa belle montre, il ne trouve rien. Ne pouvant pas tenir immobile, il redescend, prend une pelle et creuse pour agrandir l'igloo.

Même si ça ne sert à rien, même si la neige a durci, même s'il n'y croit pas, ça le défoule, ça l'aide à tenir, c'est sa cure de désintoxication. À chaque coup de pelle ou de pioche, il décharge sa haine, son manque, cette horrible torture qu'il ressent et qu'il veut chasser en creusant dans la glace. Il hurle, se tient le ventre, pleure, se reprend, cogne à nouveau dans les entrailles de l'ennemi. Les éclats sonores arrivent jusqu'au living, tous entendent mais ne réagissent pas. Vanessa regarde le feu en mâchant un chewing-gum, pianote sur son ordinateur évanoui. Les cris de son grand frère l'étouffent, la rendent nerveuse et elle se lève, va attraper des feuilles blanches dans l'imprimante de son père, des crayons laissés sur la table basse, et dessine en se servant de son ordinateur comme appui.

« Je te les prête, si tu veux », dit Mathieu, ravi, tendant des feutres de couleur à sa sœur qui ne répond pas.

Il va alors voir son grand frère et ne le reconnaît pas, tant il est rouge, violet, les yeux injectés, remplis de larmes. Ne voulant pas le mettre mal à l'aise, il retourne dans la pièce où chacun est calé dans son coin. Il ne perd pas le nord et observe sa mère de loin, son père, sa sœur, en continuant à poser tout doucement des questions dans le vide, l'air de rien, espérant que peut-être une d'entre elles provoquera une réponse. Il regarde sa sœur avec insistance.

« T'arrêtes maintenant ! C'est pas vrai ! Arrête de me fixer ! » lui lance-t-elle à la figure.

J.-P. regarde sa fille sans rien dire. Mathieu baisse les yeux vers le feu qui, lui, veut bien de son attention. Il continue à lire les questions et à donner les réponses qu'il trouve tout seul, puis il confirme en donnant le résultat officiel.

« T'es chiant, putain ! râle Vanessa en se levant, son ordinateur dans les bras. C'est trop ringard, ce truc. »

Mathieu devient triste d'un seul coup, seul, impuissant devant tous ces grands corps, toutes ces grandes personnes si différentes de Mirette qui ne savent s'amuser avec rien ou qui ne font que se crier dessus. Il a exagéré, se dit-il, et sa sœur va repartir s'enfermer. Il prend un livre pour lui montrer qu'il s'isole lui aussi, qu'il est solidaire, et il se cache derrière les pages de sa grande lecture. Il pense à autre chose. Il attend que Vanessa soit vraiment calmée pour remettre un disque. Il a remarqué que la musique est le meilleur chauffage. Sa sœur marche de long en large avec son bébé informatique sans vie dans les bras.

« J'ai faim ! gueule Samuel, qui revient, les nerfs à bout.

– Hé, vous arrêtez ? Fais-toi à bouffer, mon vieux, dit J.-P.

– Et qu'est-ce qu'ils foutent, sans blague ? Pourquoi personne vient nous sortir de ce merdier ? C'est nul, franchement ! Ça devient trop relou… C'est ton pote le maire, oui ou merde ? Quel connard ! balance Sam, tremblant d'agitation.

– Je vous ai dit que j'ai entendu un bruit d'hélicoptère… Ils doivent fouiller, ils vont pas tarder, c'est évident. La tempête doit être très forte, articule J.-P. calmement.

– Il doit y avoir beaucoup d'urgences partout, on n'est pas les seuls, c'est tout, dit Mathieu.

– Et est-ce qu'ils savent, au moins, qu'on est bloqués ? demande Sam. Franchement, on dirait qu'il y a plus rien, je sais pas, qu'ils sont complètement dépassés. C'est pas normal, si ?

– Normal, normal ! T'es marrant, toi... Si le ciel veut nous tomber sur la gueule, il se fout de savoir si c'est normal ou pas. Il fait ce qu'il veut le ciel. C'est comme ça, et puis c'est tout... Bien sûr, qu'ils savent... Il faudrait trouver un moyen d'aller dans une des petites baraques du domaine... peut-être... Je sais pas... dit J.-P., très las.

– La montagne est plus puissante que la plus chère des digues... ironise Pam.

– C'est quoi, des digues ? demande Mathieu gentiment, craignant encore un orage.

– Ce sont des... commence Pam.

– Laisse-moi répondre... Puisque tu veux qu'on parle de ça, laisse-moi répondre, dit J.-P.

– Mais je t'en prie, dit Pam, condescendante.

– Les digues, ce sont des sortes de paravents, de blocs qu'on met dans la pente d'une montagne quand il y a des risques d'avalanche, pour contrer les avalanches, pour les freiner, faire comme un barrage. »

Les enfants se regardent. Pam sourit dans sa barbe.

« Ah, dit Mathieu.

– Putain, enchaîne Sam, c'est avalancheux ici, quoi...

– Un peu... admet J.-P.

– Un peu beaucoup ! ajoute Pam.

– Oui, c'est avalancheux ! J'ai fait une connerie, et on

est en plein dedans... Voilà ! lâche-t-il à sa famille. Tout est de ma faute, c'est tout !

– Mais c'est pas grave, dit Mathieu, ne trouvant rien de mieux.

– Ben non, c'est pas grave ! lance Pam en riant.

– Mais pourquoi ? Pourquoi t'as fait construire la maison dans un endroit avalancheux ? demande Sam.

– Parce qu'avec le fric on peut tout acheter, même les avalanches. Le fric règne, et c'est lui qui décide de tout, parce qu'il nous prend, qu'il nous pénètre, comme une drogue, et on en veut encore et encore ! Tu comprends ? On respire par le fric, on sent le fric, on rêve de fric, répond le père. C'est comme ça. Mais contre le ciel... contre la neige, on est comme des cons. Si elle veut, la neige, elle nous avale...

– Le ciel, on l'achète pas... dit Sam.

– Faut croire que non, dit J.-P.

– Oui, mais c'est bien quand même, dit Mathieu, qui sent que la pression monte. Non ?... ajoute-t-il. Et on a un cadeau, sauf que c'est un cadeau du ciel.

– Quoi ? dit Pam, ça ? Un cadeau ?

– Il y a un petit courant d'air en bas, souffle Mathieu, qui tente n'importe quoi pour faire diversion.

– Où ça, en bas ? Dans la cave ? dit J.-P., piqué.

– Ben oui... en bas, murmure Mathieu.

– Quoi ? Ben montre-moi... Qu'est-ce que c'est que cette histoire ?... Pourquoi tu me l'as pas dit ?

– Je te l'ai dit, mais tu as pas fait attention... Je te l'ai dit hier, ou avant-hier, je sais plus bien quand... Je t'ai dit que... balbutie Mathieu tout en traversant la cuisine pour descendre les escaliers vers sa caverne secrète en se guidant à la lueur d'une bougie.

– Bon, c'est pas grave, montre-moi », coupe J.-P.

Une fois arrivé dans le noir presque total du sous-sol caverneux, J.-P. éclaire l'endroit avec sa montre, dont le faisceau met en relief une poussière fine. L'homme lève la tête vers le plafond bas et respire avec difficulté. Il aspire un petit coup de son vaporisateur salvateur. Mathieu le regarde, intrigué.

« T'inquiète pas, dit le père à son fils en se laissant entraîner plus loin, vers la caverne. Mais c'est quoi, cet endroit ?

– Je sais pas, dit le petit. C'est à cause de ça que le feu marchait, tu sais, au début, avant l'avalanche, c'est Mirette qui… et que j'entendais, tu sais, quand vous vous bagarriez avec maman… C'est là, dit l'enfant en montrant la trappe.

– Oui oui », dit J.-P. qui n'écoute pas, le souffle saccadé, scrutant partout, respirant mieux, le nez devant la trappe ouverte vers le garage. « Ah d'accord », souffle-t-il.

Il observe les recoins de la caverne et fige son faisceau sur l'ouverture en bas du mur.

« Mais vers où ça mène ? dit-il en se collant au sol, le nez tendu vers la grille de la bouche d'aération. Ça pourrait être relié à une des maisons annexes… Ils ont dû préparer… Ah oui, ça devait être pour faire des caves et des chambres ou quelque chose… Bon… Ah, mais attends… Il devait y avoir un puits, un truc écolo ou je sais pas quoi… Un des types qui faisait les travaux m'avait parlé d'un truc pour… Une histoire d'énergie recyclée… Hé, tu sens comme il fait bon ? Il fait vraiment meilleur ici que partout ailleurs, non ?

– Si si, dit Mathieu, moi j'aime bien cette caverne. Mais y a pas de feu, c'est moins bien que là-haut, quand même…

– Oui, c'est ça… dit J.-P., perdu dans ses pensées. Il était question de faire un truc dans le genre, ici, et je voulais pas… Je sais plus… on a si souvent changé d'avis… Je pensais que ça servait à rien, d'économiser quoi que ce soit…

– C'est pas grave, dit Mathieu pour apaiser son père qui étouffe.

– C'est là qu'il faut creuser… c'est là… » dit J.-P., haletant, en désignant l'aération.

Il reprend une dose de Ventoline.

« Je vais chercher ton frère. Il faut voir ce qu'il y a dans ce petit conduit. C'est génial qu'il y ait un peu d'air, ça veut dire qu'il y a un dégagement pas trop loin. C'est bien, Mathieu, c'est bien… De toute façon, qu'ils viennent maintenant ou plus tard, ça nous avancera de voir ce qu'il y a… S'ils tardent, on pourra aller vers une des maisons… peut-être… »

Le père a prononcé ces paroles en posant sa grande main sur la tête de son fils, avec une caresse douce et réconfortante. Le petit fait des sauts intérieurs, contenus dans son corps menu. Il implose de bonheur.

« D'accord, papa… » dit Mathieu, tout fier, en regardant son père qui détourne le visage et remonte vers l'air libre et le living.

Mathieu reste tout seul dans l'obscurité douce.

« Ça va, Mirette ? demande-t-il au vide. "Oui… C'est bien de creuser ici… Je vous attends de l'autre côté…" » entend Mathieu dans sa tête. Il sourit.

« À qui tu parles ? demande J.-P. en se retournant. On est tous en train de péter les plombs. »

Pam, dans le living, essaie toujours, son casque sur les oreilles et ses ongles faits, de pianoter sur son téléphone, comme un tic. Elle se lève d'un seul coup, ostensiblement. Tous la regardent sans rien dire. Elle monte l'escalier et disparaît.

« Il va falloir creuser ailleurs qu'ici et que là-haut... » dit J.-P. en montrant le tunnel de glace, dans l'entrée, et l'étage.

Samuel le regarde, interrogateur.

« En bas, ça sera plus facile et plus efficace... »

Teuf

Les hommes flanquent des coups de pioche et de pelle dans le conduit d'aération de la caverne. Ils font des sacs de terre qu'ils entreposent hors de l'endroit plein de poussière, juste en bas des marches. Samuel fredonne « On s'aimera » et frappe avec une énergie libérée. J.-P. va prendre l'air toutes les cinq minutes, en remontant l'escalier. Mathieu, très investi, creuse avec sa pelle miniature.

Là-haut, Vanessa reste seule dans le living, son ordinateur collé contre elle, comme une armure. Elle guette sa mère absente, lance des regards inquiets vers l'escalier et scrute la pièce autour d'elle comme si elle réalisait tout à coup le désastre et le vide total. Le silence se matérialise et l'envahit tout entière. L'atmosphère s'agrippe à son corps, freinant ses moindres gestes comme une boue gluante dont elle ne peut se défaire. La jeune fille décide de marcher plus vite, se met à tourner en rond, sort pour vérifier si le tunnel dans l'entrée est toujours opaque, s'il n'y a pas moyen d'en sortir, de le briser pour voir un bout de ciel.

Elle attrape un piolet et attaque la paroi gelée. Après quelques petites brisures, elle abandonne. C'est trop dur, trop résistant. Elle revient dans le living, regarde autour d'elle, s'approche d'une bougie, la plus grosse et la moins entamée, s'assied et fixe la petite flamme, son ordinateur sur les genoux. Puis elle baisse les yeux et observe son bouclier. Elle l'ouvre, le caresse, le regarde, perdue. Des larmes coulent sur ses joues et ne s'arrêtent plus. Vanessa pleure, sanglote. La tristesse jaillit d'un seul coup. Ses tremblements recommencent doucement.

Pam descend l'escalier, interrompant sans le savoir la crise naissante de sa fille.

« Qu'est-ce qui se passe ? » dit soudain la mère, changée et guillerette.

Sa fille lui jette un regard noir. Son étrangère de mère est toute pimpante, elle s'est remaquillée, habillée d'une nouvelle robe du soir rouge et moulante, qui met ses formes en valeur. On dirait une meneuse de revue qui fait son entrée à l'Alcazar. Ses cheveux, moins lissés que d'habitude, lui donnent un côté débridé qui détonne avec ses talons aiguilles. Un renard posé sur ses épaules lui prête la décadence d'une comtesse déchue. Vanessa éclate d'un rire nerveux mêlé de larmes.

« Y a une teuf, ce soir ? demande-t-elle.

– Pourquoi pas ? Après tout, si on n'a rien de mieux à faire... Au point où on en est du n'importe quoi ! » répond Pam.

La fille continue de rire sans plus regarder sa mère, en jouant avec la flamme de la bougie de ses doigts qui la frôlent et narguent la brûlure.

« Au moins, je te fais rire, c'est déjà quelque chose », dit la meneuse de revue, taquine et allumée, déambulant dans la pénombre.

Vanessa se lève dès que sa mère approche et se met à faire les cent pas.

« Je te fais fuir ? S'il te plaît, tu peux arrêter de bourdonner sans arrêt ? Tu peux pas rester en place deux minutes ?

– Non… Je peux pas », répond Vanessa.

Pam la considère quelques secondes, puis abandonne. Elle tripote le feu machinalement.

« Comment ça s'entretient, cette chose ?

– Aucune idée », dit Vanessa.

Pam rajoute une petite bûche et souffle un peu sur la « chose », qui s'anime soudain. Les flammes naissent, encourageantes, pleines et vivantes. Pam est toute contente.

« Ah ben voilà, c'est pas compliqué ! dit-elle fièrement, les yeux éblouis par les flammes rouges comme sa robe. C'est bien aussi, un feu… Un vrai feu… C'est quand même sympa. Et c'est mieux qu'un faux. Je me ferai construire une cheminée dans ma chambre, ça me plaît bien. C'est, je sais pas, c'est très sympa. »

Vanessa ne relève pas, absente. Elle est si frêle sous ses pulls, écharpes, slim troué et chaussures compensées, qu'elle fait pitié. On dirait une fleur des mers perdue qui cherche un endroit où se poser, sans succès.

« Bon… On va pas se laisser bouffer le moral par des histoires de flocons et devenir des mollusques ! Je vais faire à manger ! Et arrête de faire la gueule, s'il te plaît, Vanessa, ça ne sert à rien ! C'est ridicule de se mettre dans un état pareil, tu vas avoir des rides, c'est tout ce que tu auras gagné !

– J'ferai du botox, tu me donneras l'adresse. »

Pam jette à sa fille un regard méprisant mais reste muette. Elle est dans la cuisine et cherche autour d'elle.

« Bon bon bon, une omelette ! Je vais leur faire une bonne omelette… enfin… des œufs brouillés sur le gril.

Mmmhhh ? Une bonne omelette brouillée sur feu de bois, c'est bon, non ? Ça se fait dans les grands restos !

– Ouais ! » crie Mathieu qui apparaît, noir de terre, pressé d'aller aux toilettes, filant vers l'étage.

J.-P., derrière son fils, vient reprendre son souffle sur le canapé, inhalant de la Ventoline. Il remarque la tenue de Pam et la regarde, les yeux ronds.

« Tu as vu le feu ? dit-elle. Il est beau, non ?

– Oui, pas mal », répond J.-P.

Pam se désigne de son doigt manucuré, se tapotant le torse d'un air vainqueur.

« Bravo ! C'est super… dit Mathieu, revenu tout excité. J'ai pas pu tirer la chasse, ajoute-t-il, ça fait plusieurs fois… C'est pas grave ? »

Regards interdits de Pam et J.-P. Mathieu les observe d'un air apeuré. L'homme et la femme prennent quelques secondes.

« Ben, moi, ça fait un moment que je la tire pas, ma chasse dans mes chiottes, là-haut ! balance Sam en rigolant.

– Je sais, c'est pas terrible, mais on peut pas faire autrement… dit J.-P.

– C'est agréable… Il faudrait trouver un moyen, non ?… c'est quand même la moindre des choses de pouvoir aller aux toilettes, merde alors ! » s'exclame la mère.

Vanessa pouffe, dans sa marche flottante, son ordi dans les bras, Samuel, aussi sale que son frère, fixe ses yeux sur sa mère.

« Ouah, la reumda de la bombe ! Y a une teuf ce soir ? Mortel !

– Bon, je vais faire mon omelette, j'avais dit que je faisais une omelette, je la fais. Ça vous va ? Pendant ce temps, les hommes n'ont qu'à arranger cette histoire de…

– Bon… Chacun fait ce qu'il a à faire dans ses toilettes, à l'étage… OK ? déclare le père.

– OK ! » crie Mathieu en souriant.

Sam et Vanessa marmonnent un vague acquiescement.

« On met le bazar dans un trou, c'est ça ?

– Oui », dit J.-P., qui regarde sa femme en se demandant ce qui se passe, pourquoi cette bonne humeur soudaine.

Mais il masque son étonnement et laisse venir, surtout ne rien freiner de cette allégresse bienvenue.

« Terrible ! Une omelette, c'est génial.

– Euh… Dans ma salle de bains, ça commence à fouetter grave, quand même… glisse Sam.

– Ouais, moi aussi, dit Vanessa, l'air de rien.

– Moi aussi, un peu… ajoute Mathieu sur le même ton.

– Y a qu'à faire un trou dans l'igloo, dit Sam. Genre un coin reculé, enfin bref… Je m'en occupe. Un trou à merde, quoi !

– Oh, ça va ! crie Pam de la cuisine.

– Ouais, arrête s'il te plaît, pas la peine d'en rajouter… chuchote J.-P. à Sam. Merci de le faire…

– Je vais t'aider ! crie Mathieu à Sam.

– Bon, et moi je vais prendre une dou… Je vais me changer », dit J.-P. en se donnant un air enjoué.

Le petit Mathieu, tout excité, regarde son frère, et avant de le suivre, prend une petite bûche pour l'ajouter au feu. Son père arrête son geste.

« Il faut pas qu'on mette tout d'un seul coup. D'abord, on ne pourra plus respirer ; ensuite, on n'aura plus de bois.

– On met toujours plein de bûches quand vous avez des invités, rétorque Mathieu, tu dis toujours qu'il faut en mettre plein, qu'on s'en fout.

– Mais là, on s'en fout pas. On s'en fout plus.

– Parce que, là, on va crever ! Parce que, là, personne ne va venir nous chercher ! Parce que, là, même si on a du pognon, ils en ont plus rien à battre ! Parce que, là, tout le monde a crevé ! hurle Vanessa en brandissant son ordinateur vers le ciel.

– Non mais ça va pas, non ? Tu arrêtes ! intervient son père. Tu vas pas t'y mettre, toi aussi ! »

Samuel part dans un fou rire nerveux en regardant sa sœur transformée en monstre qui bave, avec une grosse voix dégoulinante. Elle a posé son ordinateur sur la grande table du living et fait une horrible grimace. Ses bras ont disparu sous les manches de son pull, étirées, pendantes. Elle étale son rouge à lèvres, qu'elle fait baver autour de sa bouche, comme du sang. Elle marche comme un zombie. Mathieu est explosé de rire, Sam se marre, entraîné par son petit frère. Vanessa, encouragée, en rajoute et devient méconnaissable. Les parents la regardent comme s'ils découvraient leur fille. Mathieu imite sa sœur. Deux monstres s'agitent dans la pénombre du salon.

« Mais on rigole ! » hurle-t-il en crachant littéralement, la bouche de travers, respirant comme un animal qui agonise, noir de poussière et encore plus effrayant qu'elle. Sam suit le mouvement, pousse des cris rauques, saute sur place, les jambes flageolantes, tombe de temps en temps, hurle comme un fantôme et se redresse, menaçant. Les parents regardent le spectacle, interloqués, démangés par une envie secrète de sourire.

« Ouaaaiiis, tout le monde a crevééé, et les vampires vont jaillir de la glace et nous bouffer le cul ! hurle Samuel alors que Mathieu et Vanessa aboient façon zombie.

– Ouaiiis, ils vont venir nous attraper par les...

– Bon, ça suffit maintenant ! Bravo, c'est magnifique, vous êtes de super acteurs, mais vous me foutez la chair de poule, donc ça va comme ça... On arrête le jeu des vampires, OK ? » dit Pam sur un ton délibérément calme.

Vanessa se tient le ventre et pleure de rire alors que ses frères grimpent dans leurs chambres. J.-P. va dans le tunnel et se lave les mains dans la neige.

« Sam et Mathieu ! Venez vous nettoyer ! Au moins un peu... »

Les garçons interrompent leurs mouvements et redescendent près de J.-P. pour se rincer comme lui.

« Bon, ben moi, je me mets en cuisine. Œufs brouillés... Je vais bien trouver comment ça se fabrique. C'est tout ce que je sais faire... et c'est tout ce qu'on peut faire chauffer, de toute façon, et qui sera mangeable. »

Mathieu regarde sa mère et sourit, puis se nettoie avec Sam. Ils montent se changer. Chacun se déplace maintenant sans lampe torche ni bougie. Est-ce l'accoutumance à la pénombre, ou la lumière deviendrait-elle plus claire, imperceptiblement ? Quelques secondes plus tard, tous deux reviennent près du feu, changés : nouveaux tee-shirts, nouveaux pulls, plus de combinaison de ski.

« Salut, c'est nous les beaux gosses ! » crie Mathieu, grisé, en jetant un coup d'œil complice à son frère.

Tous les deux harponnent vinyles, CD, Ghetto Blaster et mange-disque pour mixer, DJ de circonstance. Claude François ouvre le bal avec « Alexandrie Alexandra ». Les trois enfants chantent les paroles avec Vanessa qui suit le mouvement, emportée par l'énergie de ses frères. Mathieu sautille, surexcité, et observe sa mère et son père, l'œil allumé.

« On va tous devenir cinglés... » dit Pam, qui a sorti la tête pour mieux voir dans la pénombre, retourne à ses casseroles aussi sec, mais en chaloupant légèrement sur cette chanson qui éveille en elle tant de souvenirs.

J.-P. replonge dans ses dossiers, sans demander de baisser la musique. Il jette un œil à Pam, déjà engloutie dans le noir de la cuisine. Les trois enfants dansent maintenant sur la voix de Michael Jackson et son « Thriller » atomique, Samuel remue comme un asticot, Mathieu l'imite et en rajoute. Vanessa se met à l'écart de ses deux frères, faisant des gestes plus gracieux, appliqués. Elle tente de ressembler à une danseuse expérimentée, timidement.

Le petit dernier, tout essoufflé, revient dans son nid, près du canapé. Il regarde vers la cuisine, où est sa mère, et s'en approche avec précaution. Il hésite quelques secondes, et continue sur la pointe des pieds. Il distingue la silhouette de sa mère en train de s'agiter avec des couverts, des plats. Quelque chose tombe. Mathieu s'arrête net sur son chemin. Il se fige et n'ose plus avancer.

MAMAN

« Comment ça se casse, ces saloperies ? Je suis nulle. »

Pam râle dans la cuisine. Le petit la devine dans l'obscurité.

« C'est normal, tu vois rien parce qu'on n'a plus de lumière, c'est tout ! » dit-il gentiment.

Pam regarde son fils.

« Tu m'as fait peur... Préviens quand tu es là. Tousse, dis quelque chose ! Saletés d'œufs...

– Pardon », dit Mathieu, souriant, avant de disparaître en courant.

Il revient, une bougie allumée dans chaque main, et reste là, dans la jolie décoration en bois ciselé qui orne la bordure de l'ancienne cloison de la cuisine. Sa mère le regarde.

« Eh ben... Qu'est-ce que tu fais planté là ?

– Je fais de la lumière pour que tu voies et que tu casses bien les œufs pour l'omelette...

– Approche-toi, je verrai mieux... »

Le petit reste à la porte, hésite. Pam le regarde.

« Qu'est-ce que tu fais ? Approche ! Tu as peur de moi, ou quoi ? » dit-elle en riant.

Mathieu ne bouge pas et ne dit rien.

« Hein ? Tu as peur de moi ? »

Mathieu s'avance vers sa mère.

« Non, dit-il, à peine audible.

– Non qui ?
– Non... Non merci...
– Mais enfin, t'es bête ou quoi ? Non qui ?
– Non... maman, lâche Mathieu sans desserrer les dents.
– Qu'est-ce qui te prend ? Qu'est-ce que t'as ? » demande sa mère peu à peu gagnée par l'agacement.

Le petit se met à pleurer.

« Ah non, tu vas pas recommencer ! Mais enfin, c'est pas possible ! Tu vas pas te mettre à pleurer toi aussi ? Tout le monde pleurniche, dans cette famille ! Pourquoi tu pleurniches ?

– J'ai peur quand tu cries », balbutie Mathieu, mal à l'aise, voulant disparaître en lui-même.

Il baisse la tête et va partir.

« Mathieu ! Viens ici ! » ordonne gentiment la mère.

Mathieu se glace et reste le dos tourné, paralysé.

« Bon, je ne crie pas, dit-elle. Voilà, je ne crie pas, je ne crie pas... Regarde, je parle doucement... dit Pam en chuchotant. Je te fais peur ?

– Mais c'est pas grave... répond l'enfant, qui tente de retenir ses larmes.

– Ah, arrête !... Approche-toi », dit la mère.

Le petit se retourne face à elle, la bougie toujours à la main. Il fait un pas vers sa mère, puis un autre. Lentement.

« Allez... Approche-toi... Mathieu ! Approche-toi, je te dis ! Je veux que tu t'approches de moi... »

Le petit avance encore, en pleurant aussi silencieusement qu'il peut.

« Et pourquoi tu m'appelles jamais maman ? Hein ? Je t'entends jamais m'appeler maman... C'est vrai ça, non ? »

Le petit continue d'avancer, il est maintenant très proche de sa mère. Il a les yeux baissés. Elle lui prend le visage par le menton pour le forcer à la regarder.

« Hein ?... Pourquoi tu ne m'appelles jamais maman ?... »

Le petit pleure douloureusement en regardant sa mère. La bougie coule sur sa main, il ne sent même pas la brûlure de la cire.

« Parce que... C'est toi... C'est toi qui me l'as interdit », dit-il.

Ses doigts le brûlent, et il lâche les bougies qui tombent sur le sol et s'éteignent. C'est le noir presque total. Seule une flamme reste vivante près de l'évier où Pam cassait des œufs. La femme et son enfant se fondent dans le silence qui rôde autour d'eux.

« Viens », dit la mère, qui cherche le corps de son fils et tombe sur son ventre recouvert d'un pull épais.

Elle tâte et agrippe le tricot dans sa main puis attire le corps vers elle. Elle serre brusquement Mathieu dans ses bras pendant quelques secondes qui sont, pour Mathieu, une éternité.

« Quelqu'un peut nous apporter du feu ? » crie Pam en direction du living, brisant le silence.

Leurs corps ne sont plus l'un contre l'autre, mais très proches. Le petit souffle, haletant. Sa mère le sent.

« C'est fou que tu aies peur de moi comme ça », dit-elle.

Ils ne bougent ni l'un ni l'autre. Elle le regarde, perçant l'obscurité, froide mais attentive.

« Eh bien, aujourd'hui, je ne te l'interdis plus. Aujourd'hui, tu peux m'appeler maman. Voilà », prononce-t-elle avec douceur.

Le père arrive avec un briquet et rallume les bougies. Il devine la tête et les yeux mouillés de Mathieu, il regarde Pam.

« On va faire l'omelette, avec Mathieu... Hein, Mathieu ? dit Pam.

– Oui... maman. »

DANSE

La famille est réunie autour de la table basse, au complet. Les trois enfants, le père et la mère mangent ensemble les œufs brouillés. Ils sont plus baveux que cuits, mais tout le monde est content du festin et avale goulûment le mélange peu appétissant après l'avoir mis dans du pain de mie pour que ça passe mieux.

« Ça serait plus cool sur des toasts... Mais y a plus dégueu ! dit Vanessa entre deux bouchées.

– Merci maman ! » dit Mathieu.

Pam sourit. Personne ne l'a jamais vue sourire comme ça. Ses enfants et son mari la fixent, éberlués.

« Qu'est-ce qu'il y a ? Qu'est-ce que j'ai dit ? » demande Pam, soudain inquiète.

J.-P. essaie de briser le silence qui devient à nouveau pesant.

« Je sais pas... Rien. C'est vrai que c'était pas dégueu, comme dit... ma fille... » dit J.-P. pour masquer la gêne collective.

Vanessa regarde son père furtivement. Il ne l'appelle jamais « sa fille ».

Des minutes s'écoulent, des heures peut-être.

« Mirette, elle dit que si on passe une journée sans rire, c'est une journée qu'on a perdue », tente Mathieu avec un entrain forcé, après avoir observé le groupe.

Pam regarde son fils, puis ses ongles. J.-P. regarde furtivement Pam. C'est un chassé-croisé d'yeux.

« J'ai mieux que la rigolade pour se réchauffer. Si vous voulez, vous me suivez ! » lance Sam.

L'appareil avale Tina Turner, qui se met à chanter. Samuel scande les paroles en même temps que la chanteuse, en montrant les mots sur les feuilles qu'il a scotchées au mur. Il connaît la chanson par cœur. Il danse en faisant la chorégraphie du refrain, pendant lequel Tina tourne sur elle-même avec les danseuses et imite les grands mouvements de bras qui conduisent une voiture qui roule.

Rollin... Rollin !

Mathieu gigote comme un fou et tape sur un meuble en bois pour appuyer le rythme. Il se laisse complètement aller, encouragé par son frère. Vanessa se trémousse sensuellement, les yeux fermés, comme dans une boîte de nuit, toujours un peu à l'écart. Pam est retournée à la cuisine, mal à l'aise. Elle vide les assiettes dans l'évier, les laisse là, en plan, d'un air un peu dégoûté, puis elle revient dans le living et s'assied dans son coin. J.-P. lui jette un coup d'œil volé. Pam ne le voit pas. Elle se plonge dans ses revues et, de temps en temps, jette un œil sur ses enfants qui dansent. Sam arrive sur elle en se dandinant et en chantant, et reste là devant sa mère, qui sourit doucement.

« Arrête, Sam... s'il te plaît ! »

Sam continue et lui tend une main. Pam le regarde, choquée comme s'il venait de faire quelque chose de honteux. Elle rit.

« Ça va pas, non ?

– Allez ! dit Sam. Allez la reumda ! Je sais que t'adores danser, j'me souviens, quand on était petits, vous faisiez des fêtes avec papa, et c'est toi qui embarquais tout le monde ! Allez ! »

Sam ose attraper une main et l'attire à lui pour qu'elle se lève. Pam ne peut pas refuser. Ses membres se laissent entraîner, même si elle n'est pas tout à fait d'accord. Sam fait tanguer le corps de sa mère dans ses bras. J.-P. regarde son fils, comme s'il assistait à une hallucination.

Quelque part au fond de lui, cette scène le replonge très longtemps auparavant, même s'il refuse d'abord à son esprit le droit de suivre ce souvenir, qui finalement l'emporte. Il se revoit avec sa femme, chaloupant sur des slows torrides ou des rocks interminables, car ils étaient tous les deux excellents et s'épuisaient sans fin dans toutes ces soirées qu'ils organisaient dans leur ancienne maison, plus proche de la ville, plus petite, moins confortable, mais pleine de vie et de charme. En nage, trempés comme s'ils s'étaient baignés, ils dansaient au bout de leurs corps jusqu'à tomber, aussi passionnément qu'ils s'aimaient.

Ils buvaient de la vodka glacée, que J.-P. versait parfois dans le décolleté de Pam et qu'il léchait pendant les slows. Ils faisaient l'amour, humides, transpirants, brûlants, grisés. Quand tout le monde était parti, ils s'allongeaient, ivres de fatigue, et ils écoutaient Léo. « On s'aimera » les berçait, c'était leur rituel, leur apaisement, leur secret. Quand Gisèle allait mal, J.-P. jouait immédiatement la chanson ou la lui chantait doucement dans l'oreille, ou c'était Gisèle qui la fredonnait à J.-P.

« La vie d'artiste » était leur deuxième incontournable. Leur troisième, des musiques de Léo enregistrées en orchestre lorsque c'est lui qui le dirigeait. Ils connaissaient toutes les paroles absolument par cœur et les chantaient sans arrêt, comme ils respiraient. Que s'est-il passé depuis ? se demande soudain J.-P. en regardant sa femme et son fils se balancer, en cherchant dans un recoin perdu de son cerveau, allant titiller une mémoire ensevelie depuis longtemps. À partir de quand ont-ils cessé de s'aimer ? Est-ce qu'il y a une date ? Une raison précise ? Plusieurs ? Mathieu et Vanessa regardent Sam et leur mère danser. C'est très étrange. Chacun est hypnotisé par ces deux corps réunis simplement pour onduler sur la musique. C'est impudique et inattendu, violent et beau. Sam sourit, et sa mère aussi. Elle rit, même, se laissant griser par ce moment invraisemblable. La musique s'arrête. Pam remet ses cheveux en place immédiatement, gênée, se protégeant soudain. Sam lui fait une révérence « à l'ancienne », comme un gentleman.

« Bon, moi je me couche », assène J.-P. en se glissant sous sa couette, alors que sa fille s'est déjà installée dans son nid, un peu en retrait.

Soudain, la chaleur qui avait envahi le living et qui semblait avoir illuminé la pièce pour l'éternité s'évanouit. Les lampions de la fête improvisée s'éteignent. Pam est entourée de ses fourrures innombrables, magazines, trousses de toilette, manteaux divers, foulards. Elle se lève.

« Je peux prendre la salle de bains ? Je suis en nage... » demande-t-elle, très digne, reine dans son château.

Personne ne répond. Elle monte l'escalier, redescend très vite, un grand sac et quelques serviettes à la main. Elle pose le linge sur la grande table, prend deux bougies au passage et disparaît avec ses « effets » dans le tunnel qui mène à l'igloo. Elle sort du sac un petit miroir qu'elle dispose en pratiquant une fente dans la neige, dépose sa serviette, découpe au couteau des morceaux de glace avec lesquels elle se badigeonne le visage. Elle se déshabille entièrement et se passe les glaçons sur le corps en frissonnant. Elle se surprend à ressentir une douceur imprévue. Cette salle de bains de glace improvisée est splendide, illuminée par les taches des deux flammes chaudes. La femme s'attarde quelques secondes sur cette féerie nouvelle. Elle s'essuie, enfile une chemise de nuit, son peignoir, ses mules, son manteau de fourrure et repart vers la grande pièce dortoir. Elle s'assied sur son lit, couvre ses yeux d'un masque en tissu panthère et s'allonge sur le dos pour accueillir le sommeil qui la gagne.

« Je m'occuperai du feu, dit Mathieu.

– Non, il vaut mieux le laisser s'éteindre, pour être sûrs d'avoir encore des bûches pour demain. Après, je pense qu'ils seront là, quand même... dit J.-P. Allez, bonne nuit tout le monde.

– Bonne nuit, p'pa ! dit Mathieu.

– Bonne nuit, répond J.-P.

– Bonne nuit, marmonne Pam.

– Bonne nuit, maman », continue Mathieu.

J.-P. ferme les yeux. Pam ne bouge plus. Les trois enfants traînent autour du feu et de la table basse couverte de boîtes de jeux, disques et vieilles pochettes en papier. Samuel fait des grimaces, le visage au-dessus d'une bougie. Sa sœur se marre en silence. Mathieu lui chuchote : « Encore ! » Le grand frère fouille dans le tas descendu de sa chambre : parmi des habits, il trouve un sweat à capuche couvert de faux sang, un vieux gadget. Il couvre sa tête et fait le monstre en s'écrasant le visage et en bavant. Il crache et se lève, boite, la bougie à la main, louche, langue pendante, joue au débile mental. Mathieu est plié, Vanessa aussi. Pam décolle son masque et va dire quelque chose, mais un sentiment la retient, et elle écoute ses enfants qui rigolent ensemble. Elle semble perdue, les yeux fixés grands ouverts sur le plafond du living. Bercée par les rires étouffés, elle ferme les yeux.

« Bon... J'suis crevé, moi, j'en peux plus de faire le con », dit Sam.

Instinctivement, pour faire durer cette journée pas comme les autres, les trois enfants rejoignent chacun leur nid de campement. Ils ressemblent soudain à des petits anges. Ils se glissent sous leur couette et s'endorment très vite, rassurés les uns par les autres.

Sixième matin

La maison dort. Pas une lumière ne scintille. Le temps semble s'étirer sur cet endroit. Il semble s'y attarder, observer, attendre. Il ne bougera pas de là, guettant comme un grand lustre invisible et transparent l'évolution des choses. Il prend racine dans cette famille sur laquelle les circonstances semblent s'acharner. Tous dorment comme des bébés. Chacun trône à la place qu'il s'est faite, son fauteuil, son empreinte sur le canapé, sur des coussins ou un matelas, par terre. Tout a été groupé autour du feu, et les uns se sont approchés des autres. Le campement s'est étalé. Il s'est transformé, au fil des jours qui passent, en demeure dans la demeure.

Pam ouvre un œil, se lève et marche en direction des « toilettes ». Guidée par sa montre-lampe, elle remarque l'absence de son mari. Sa Rolex indique 06 h 09. Une voix vient du garage et l'immobilise. Elle s'approche de la porte et écoute, sans être vue.

« Oui ! Mais non ! Non, mais non, c'est pas possible ! On pourra pas tenir jusque-là. Non ! Passez-moi au moins la secrétaire du maire, alors ! »

Il regarde son téléphone.

« Et merde ! »

J.-P. ouvre la porte brusquement pour sortir et se heurte à Pam.

« Aïe ! Qu'est-ce que tu fais là ? Tu m'espionnes ? » lui demande J.-P. qui file dans la cuisine, puis dans le débarras, derrière.

Pam le suit sans rien dire. Elle rejoint son mari qui fait les cent pas.

« Bon, quelle heure il est ? Hein ? dit-il, agité. Qu'est-ce qu'on leur fait à manger ? Il faut... rallumer le feu. On rallume le feu et on se fait un café, d'accord ? enchaîne J.-P.

– Dis-moi ce qu'ils t'ont dit... »

L'homme regarde sa femme.

« Mais ils ne m'ont rien dit ! Arrête, on va pas recommencer, ils ne m'ont rien dit ! Et puis, de qui tu parles, d'abord ?

– J'ai entendu...

– Qu'est-ce que tu as entendu ? Bon, j'ai eu la mairie, ils sont dans la merde, tout est en panne, voilà, toute la ville est bloquée. Ils ne peuvent rien faire pour nous là maintenant, à cause de la tempête qui ne veut pas s'arrêter. En plus, ils nous retrouvent pas... L'avalanche a été terrible, il paraît, ils nous croyaient tous morts... Ils ne peuvent rien faire tant que la tempête ne se calme pas un peu. Il faut attendre...

– Combien de temps ?

– Ils ne savent pas.

– Combien de jours ?

– Plusieurs.

– Combien ?

– Une semaine... ou plus... La météo est mauvaise. Putain de connerie ! C'est de ma faute... Ils ne peuvent pas nous trouver ! Tu te rends compte ? C'est invraisemblable !

Ils tournent en hélico, mais ils peuvent pas descendre ! C'est pas possible... »

J.-P. laisse échapper une sorte de son étrange, mi-rire, mi-sanglot.

« C'est nul, c'est débile, quelle connerie, tu te rends compte, on est là, et ils ne peuvent pas nous trouver, et... »

Pam le regarde, incrédule. Elle ne dit rien et entraîne son mari dans le débarras, derrière la cuisine, pour ne pas réveiller les enfants. Très calme, elle se campe debout devant son mari.

« Explique-moi, dit-elle.

– Le maire m'a couvert pour que je construise, mais c'est un piège ici... Je me suis fait avoir comme un rat..., avoue J.-P.

– Comment ça, "un piège" ?

– Oui... Il pouvait pas fourguer ce terrain à cause des avalanches, il me l'a mis dans les mains en me faisant croire qu'il me faisait un immense cadeau, parce que moi j'arrêtais pas de lui en faire aussi... »

Pam attend la suite, tremblant de froid soudain, dans sa tenue de nuit couverte d'un gros pull qui détonne.

« On n'avait pas le droit de construire cette maison, continue J.-P. Voilà, on n'avait pas le droit de la construire ! Le maire m'a couvert, mais je l'ai pas déclarée comme résidence principale, en plus, tu comprends, j'ai déclaré les autres, à côté, les petites baraques... Elles, elles sont enregistrées, mais pas celle-ci ! C'était trop cher pour plein de raisons, et on pensait la faire passer pour un bureau ou une entreprise, une fondation... Enfin c'est n'importe quoi... C'est n'importe quoi... »

Pam fixe son mari comme si elle avait gelé d'un seul coup. Elle ne bouge pas d'un cil. Puis elle part brutalement dans un rire ravageur, une sorte de rugissement contenu, mêlant douleur et sarcasme. Les enfants se réveillent en sursaut et regardent tous vers le débarras, sans voir ce qui se passe. Des bribes de mots leur parviennent.

« Tu es piégé par tes propres magouilles… C'est ça ? Tu nous embarques avec toi dans ton bordel d'escroqueries… Ça, c'est la plus grande blague du siècle : on n'est pas enregistrés ! On n'aurait jamais dû faire construire ici ! On est sur un terrain super dangereux, en fait ! Donc, en gros, on n'existe pas, quoi ! On n'existe plus !

– Mais j'allais encore consolider les digues, c'était prévu… C'était planifié… Je voulais pas qu'on reste comme ça…

– Tu allais le faire, mais oui, tu allais le faire ! Mais on n'a pas eu le temps, et le ciel nous tombe sur la gueule ! Ça, c'était pas planifié ! Toutes ces magouilles vont nous enfermer dans notre maison super-luxe, elles vont nous achever, tes magouilles… C'est la plus grande escroquerie du siècle, on est coincés par…

– Non, on n'est pas coincés, on va s'en sortir, ils peuvent venir à pied… Ça mettra plus de temps, c'est tout…

– Comment ? Hein, J.-P. ? Dis-moi comment ? Toi qui es le roi de la démerde, tu vas bien trouver, hein ? Comment veux-tu qu'ils nous trouvent ? J.-P., regarde-moi ! Si tu penses qu'on va mourir ici, je voudrais que tu me le dises… Maintenant, on est obligés de tout se dire ! Hein. ? J.-P., réponds-moi. »

J.-P. regarde Pam en pleurant. Il craque. Comme un type sonné, liquéfié, fini. Pam le secoue :

« Allez, arrête, je t'en prie, c'est ridicule... Les enfants ne doivent pas te voir comme ça. »

J.-P. s'effondre sur lui-même et se retrouve assis par terre, sur ce qui lui reste de jambes. Pam observe son épave de mari. Elle reste là, bloquée. Elle sent du mouvement dans le living.

« Restez près du feu ! Rallumez-le ! Tout va bien ! » crie-t-elle de loin à ses enfants.

Puis elle s'approche de J.-P. sans trop savoir quoi faire. Elle regarde cette masse d'homme qu'elle connaît depuis si longtemps, mais qui lui semble si étranger. Elle fait un pas vers lui et voudrait tendre ses bras, une main, l'attraper, ou bien s'agenouiller à côté de sa tristesse et interrompre ce chagrin, qu'elle trouve pitoyable et attendrissant en même temps. Elle a toujours été touchée par cet homme, et petit à petit dégoûtée, prise de pitié parfois, méprisante, puis admirative, elle ne sait pas, elle ne sait plus. Elle ne l'a pas approché depuis si longtemps, elle ne retrouve plus le « chemin ». Il suffirait de tendre la main et de ne plus penser. De faire un simple geste. Mais c'est comme si son cerveau n'avait plus le code ou que l'impulsion n'arrivait plus dans ses membres. Elle est paralysée. Les enfants ne doivent absolument pas voir leur père accablé, écroulé, fautif, victime, faible, Pam ne peut pas permettre ça. L'agitation de son cerveau est si bruyante que le corps prend le relais, et, sans savoir comment ni pourquoi, sa main va toute seule sur l'épaule de son mari.

« Je t'en prie Jean-Pierre, relève-toi..., chuchote-t-elle. Allez, je t'en prie, reprends-toi, lève-toi ! dit-elle à son mari, qui sanglote, tête baissée vers les carreaux. Jean-Pierre ! Je t'en prie ! »

Pam, la main toujours posée sur son épaule, se baisse à sa hauteur et relève un de ses bras, pour qu'il se redresse.

« Jean-Pierre ! Allez... S'il te plaît... Je t'en supplie, lève-toi... S'il te plaît... Jean-Pierre ! Fais-le pour les enfants, je ne pourrai pas supporter qu'ils te voient dans cet état, s'il te plaît... Jean-Pierre ! »

Le mari se redresse lourdement. Il regarde sa femme qui lui tient le bras. Ils marchent ensemble, lentement, vers la cuisine. Une fois redressé, il s'appuie sur l'évier. Pam le lâche assez vite.

« Excuse-moi, dit Jean-Pierre, sourdement.

– N'en parlons plus. Je vais refaire un feu avec les enfants... chercher du bois », dit Pam en se dirigeant à tâtons vers le garage.

Elle passe devant ses enfants, d'un sourire de marbre, se voulant invisible. Elle arrive au tas de bûches et en compte six. Elle s'assied sur le petit monticule et prend sa tête dans ses mains, accablée. L'effroi traverse son corps, une sorte d'angoisse viscérale et implacable l'envahit. J.-P. passe la tête et regarde sa femme qui revient du garage avec une bûche. Il comprend qu'il n'y a sans doute plus de bois. Elle va vers la cheminée, sa bûche à la main, accrochant un sourire forcé sur son visage. Les trois enfants, autour du feu, observent leurs parents dans les moindres détails. La mère traverse le campement-dortoir, en enjambant les couettes, oreillers, papiers, disques, jeux, et place sa bûche dans le feu. Les enfants la regardent.

« Comment on va faire quand il y aura plus de bois ? » marmonne Mathieu encore endormi.

Pam le regarde.

« Mais... Quand il n'y aura plus de bois, les secours seront déjà arrivés pour nous aider ! dit-elle en forçant la blague. Tu ne crois quand même pas qu'on va croupir dans ce trou ! » termine-t-elle en éclatant d'un rire parfaitement bien imité.

Elle continue comme la veille à forcer la joie pour se réchauffer, comme Mathieu le tient de Mirette. Rire, ça réchauffe, c'est vrai, et ça fait du bien. Le petit imite sa mère et s'esclaffe de plus belle pour l'encourager.

Le bois

Le père engloutit de l'alcool, isolé dans un coin de la pièce. Son visage, rougi, affiche un air jovial et il regarde autour de lui, l'œil allumé. Il tourne autour d'une chaise rangée contre la grande table du living. Cette table où tant de dîners se sont faits, où tant d'affaires se sont traitées, mêlées à des arrangements d'amitié, cette table où tout s'est mélangé, le vice, les mensonges, les complots, les trahisons, les rires, les plats, les alcools, les promesses, les projets, les compétitions.

Il fixe son attention sur une chaise, la touche de ses doigts froids et agités, caresse son dossier, se souvient, regarde sa femme, et passe à l'autre chaise. Il va de chaise en chaise, les effleurant, langoureux, comme il jaugerait un étalage de femmes nues. Elles sont belles et lisses, en bois luxueux, arrivées dans la maison grâce à un marchand d'antiquités avec lequel J.-P. a souvent fait affaire. Il contourne la table, de dossier en dossier. Puis, arrivé à la dernière, il l'agrippe à pleine main et la brandit lentement au-dessus de lui.

« On aura toujours assez de bois ! s'exclame-t-il en portant la chaise à bout de bras. Y en a plein la maison, du bois ! Il est temps de changer un peu tous ces meubles, non ? »

Et il fracasse la chaise sur le sol en riant bizarrement. Les enfants sursautent, Pam reste de marbre. La chaise à terre est déformée, tordue comme un animal sur lequel on vient de tirer. J.-P. l'achève à coups de pied. Les enfants n'en croient pas leurs yeux et regardent leur père, estomaqués. Le visage de J.-P. rayonne alors que le bas de son corps est en furie, acharné sur le bois qui petit à petit se disloque, abandonne son rôle de chaise et devient un amas inerte. Mathieu sourit, émerveillé. Vanessa regarde son père avec mépris, Sam rigole silencieusement, de mèche avec son frère. Tous les deux observent leur mère, qui ne dit rien. Vanessa est contaminée par les secousses de Samuel et Mathieu, le rire la gagne et, après avoir pouffé et tenté de le réprimer, elle l'accepte et sourit comme si elle assistait à un phénomène invraisemblable. Écarlate et excité, J.-P. attrape le squelette de la chaise déchirée, heureux et dépassé par ses propres gestes, et s'approche du feu. Il pose le tas de bois près des petites flammes, prend un pied arraché et le plonge dans le foyer.

« Oh, excellent ! Vous êtes bons quand vous vous y mettez, les darons ! gueule Samuel. On en achètera d'autres !

– Il faut faire de la place, ici ! À partir d'aujourd'hui, on devient des personnes intelligentes et on réfléchit... Il faut faire tenir le feu, c'est notre mission ! Avant qu'on vienne nous chercher, on doit avoir une seule chose en tête, c'est le feu, le feu, le feu... avec tout ce qui brûle », dit J.-P. comme un chef de camp.

Vanessa enchaîne, scrutant ses parents :

« Attendez, là, je comprends pas ! On va pas rester ici, quand même !

– Où veux-tu qu'on aille ? demande J.-P.

– Non, mais je veux dire qu'on va venir nous chercher... Pourquoi tu veux tout brûler comme ça, d'un seul coup ? demande Vanessa, inquiète.

– Je veux pas tout brûler, je veux qu'on ait chaud, c'est tout. »

Vanessa fixe son père ivre, qui tient son regard empli de choses qu'elle ne peut pas décrypter mais qu'elle tente de deviner silencieusement.

« Pourquoi vous vous engueuliez tout à l'heure, tous les deux ? continue la jeune fille.

– Mais on s'engueulait parce que j'ai un caractère de cochon et que je ne supporte pas d'être enfermée et que j'en veux à votre père et que moi aussi j'attends qu'on vienne nous libérer et voilà ! dit Pam qui boit une gorgée de whisky et propose un verre à J.-P., qui le prend en regardant sa femme.

– Il faut juste qu'on ait chaud en attendant, répète-t-il. C'est pour ça qu'on peut brûler des choses qui ne nous servent plus à rien pour l'instant...

– C'est comme la guerre du feu ! »

Mathieu a dit ça en guettant sa mère. Elle a les cheveux qui frisent de plus en plus. Elle est marrante comme ça, on dirait une Africaine blanche et blonde, pense le petit. Pam l'Africaine regarde Mathieu. Mathieu lui sourit. On se demande ce qu'elle va dire avec son œil noir.

« Il va bien falloir que je m'habitue à vivre avec des sauvages... Regardez-moi ce bordel ! Heureusement que... vous vous rendez compte si on nous voyait ?

– Mais personne ne nous voit », dit J.-P.

Pam regarde son mari et ne dit rien, elle replonge ses yeux dans le feu.

« C'est plus cool quand tu flippes pas... Qu'est-ce que t'as fait à tes cheveux ? On dirait Tina Turner, lui dit Samuel.

– Je t'en prie, ne me parle pas de mes cheveux, c'est un désastre !

– Moi, ça me fait kiffer, les désastres ! Elle était canon, Tina... dit Sam, un grand sourire aux lèvres.

– Mais elle est noire, Tina Turner ! Tu dis vraiment n'importe quoi... lui répond sa mère. Tu te moques de moi.

– Mais non, putain ! » gueule Samuel gentiment.

Vanessa, prise de frissons, silencieuse dans son coin, déambule vers l'entrée de la maison, l'igloo-salle de bains. Les tremblements s'accentuant, elle rentre à nouveau dans le living pendant les blagues de ses frères, de sa mère, de son père, qui s'occupent du feu avec Mathieu. De plus en plus secouée, elle s'éclipse pour aller se cacher au fond de la cuisine, ne sachant plus où aller, paralysée par sa crise.

« Où est Vanessa ? demande J.-P. quand il réalise que sa fille n'est plus là.

– Je sais pas, dit Mathieu, elle est allée faire pipi... Ou bien dans sa chambre, elle va revenir, elle était là il y a deux minutes. »

Un bruit étrange de métal, secoué lourdement contre une paroi, s'élève, de plus en plus saccadé et cinglant. Comme une machine grippée. J.-P. regarde Pam, puis leurs yeux vont vers la cuisine, d'où vient le bruit. Ils se lèvent en même temps et y découvrent Vanessa, inerte, affaissée contre le réfrigérateur. Samuel et Mathieu les suivent en courant.

« Merde ! » hurle J.-P. en claquant les joues de sa fille, toute molle sur le sol carrelé.

Pam regarde la scène de loin, anesthésiée. J.-P. continue de secouer son enfant et la prend dans ses bras. Il la porte près du feu, sur le canapé. Il s'assied en la serrant contre lui et se met à pleurer sans pouvoir s'arrêter. Tous sont transis par ce jaillissement de désespoir, inattendu et violent. Mathieu se précipite sur sa sœur et frotte son corps amorphe. J.-P. la secoue.

« Pourquoi tu t'en vas toujours ? Il faut rester avec nous, tu comprends ? Vanessa ! Je t'ai dit de rester avec nous, tout le monde s'inquiète pour toi, il faut pas que tu restes seule ! Pourquoi tu vas dans ton coin, quel intérêt d'aller s'isoler comme une sauvage, on n'est pas des bêtes, merde ! On est tous dans le même trou, on doit se serrer les coudes et puis c'est tout ! Disparais pas comme ça, tu fais peur à tout le monde ! » lance J.-P. à tort et à travers, comme si les mots allaient la réveiller.

Mathieu frotte sa sœur, et Samuel l'imite et la masse par-dessus la couette pour la réchauffer et la ranimer. Pam regarde ses deux fils, restant immobile, comme paralysée… J.-P. ne sait pas quoi faire et lance à sa femme des regards perdus.

« Ça va, ça va… Arrêtez, vous me chatouillez ! murmure Vanessa mollement, les yeux fermés, mais la bouche souriante. J'en ai marre… Font chier, ces crises… » marmonne-t-elle.

J.-P. est soulagé.

« Ce truc, comme tu dis, ce sont des crises d'épilepsie. De panique, d'angoisse. Il ne faut pas que tu t'isoles ni que tu stresses, tu comprends ?

– Oh, mais ça va ! C'est pas la peine d'en faire tout un bazar… Je prenais l'air, c'est tout… insiste la jeune fille, molle.

– Eh ben, si tu prends l'air, tu le prends pas toute seule, tu le prends avec quelqu'un.

– Je suis pas morte... murmure-t-elle en tremblant.

– Qu'est-ce qu'il faut faire, quand on a des crises comme ça ? Tu sais, toi ? demande Pam à J.-P.

– Il faut rester tranquille, et jamais seule, je crois... Ne pas s'inquiéter. Pas de stress ou d'angoisses. C'est mieux qu'elle reste avec nous, c'est tout. C'est sûr que c'est mieux... affirme J.-P.

– Papa, dit Mathieu timidement, le feu... »

J.-P. regarde dans la cheminée. Le feu s'est éteint. Il s'en approche, vérifie qu'il n'y a rien à faire pour le rallumer. Les bougies agonisent doucement. J.-P. fait signe à ses fils qu'il faut aller creuser, le plus loin possible, prolonger l'igloo, puis là-haut, dans son bureau, gratter plus loin qu'il ne l'a fait pour chercher une bulle d'oxygène. Il faut ouvrir des « portes » partout où ils peuvent, sinon ils étoufferont. Leurs yeux agités vont et viennent des bûches muettes à Vanessa, à qui ils ne parlent de rien pour ne pas l'affoler. Le père et son grand fils laissent Pam, Mathieu et Vanessa dans le living et vont creuser à la lueur de leurs bougies, laissant les deux torches électriques aux autres.

Les mains

Avant de quitter la pièce, J.-P. jette un œil doux à Pam, comme pour l'encourager, la soutenir. Il sourit à Mathieu et disparaît dans le tunnel, accompagné de Samuel. Deux bougies résistent vaillamment, comme pour réconforter la femme et ses deux enfants. Au bout de quelques secondes, elles s'éteignent. Le noir et le silence s'allient, envahissants. Mathieu entend des petits bruits étouffés qui s'échappent de sa mère malgré ses efforts apparents pour les retenir. Elle pleure le plus doucement possible. Le petit chantonne timidement :

« Tu vas voir, le noir il va devenir plus blanc si tu attends un peu... »

Pam rit dans ses larmes. Mathieu, heureux, redit sa phrase avec un accent africain « à la Mirette ». La femme regarde son fils avec tendresse et s'approche de Vanessa lentement, comme d'un animal inconnu. Elle la jauge, l'observe, découvrant une espèce humaine nouvelle, venue d'ailleurs, étrangère, trop grande pour être câlinée, trop fragile pour s'exprimer, trop petite pour savoir. La mère réfléchit, cherche un moyen. Comment faire avec ce petit animal qu'est sa fille ? Elle ne sait plus. Peut-être n'a-t-elle jamais su. A-t-elle chassé ses enfants pour oublier qu'elle vieillissait ou ses enfants l'ont-ils écartée pour affirmer qu'ils grandissaient ? Ils se sont éloignés mutuellement. Pourquoi ? Pam s'agenouille près de sa fille et chuchote à son oreille.

« Vanessa... Tu peux nous aider ? Tu peux nous dire ce qu'on peut faire pour toi ?... Hein ?... Tu peux essayer de nous dire. »

Vanessa articule à peine, les mots ne sortent plus, mal formés dans un souffle d'épuisement. Ses dents claquent. Elle marmonne faiblement et Mathieu, comme sa mère, s'approche tout près pour la comprendre.

« J'ai froid. »

Pam, timide, s'assied tout près d'elle au bout du canapé, puis se relève comme si elle avait oublié quelque chose. Elle monte les marches du grand escalier déserté et file dans sa chambre. Elle en rapporte une immense couverture en fourrure qu'elle pose sur sa fille. Entraînée par un instinct qui renaît, elle frotte le corps recouvert de son enfant, d'abord par mouvements saccadés, puis de plus en plus longuement. Malgré l'amoncellement d'étoffes et les efforts de sa mère, Vanessa semble emprisonnée dans un perpétuel tremblement de corps. La mère impuissante implore son fils du regard. Le petit s'approche et frotte sa sœur, dans des pressions empreintes de douceur appliquée. Pam le regarde et imite sa façon de faire.

« Tu peux lui masser le ventre d'abord, ça lui fera du bien, dit-il.

– Ah, dit Pam un peu gênée, prise d'une panique qu'elle chasse, recevant de loin la force avec laquelle J.-P. et Sam creusent et se battent contre la glace. Pourquoi le ventre ? Elle a pas mal au ventre, dit-elle doucement.

– Oui, mais dans le ventre y a tout, chuchote Mathieu. Ou les pieds, si tu veux, aussi, tu peux lui masser les pieds. Mais le ventre, ça va lui faire du bien, c'est obligé. »

Pam regarde son fils.

« Montre-moi. »

Mathieu plante ses yeux interrogateurs dans ceux de sa mère, puis, sans attendre sa permission, il prend ses deux poignets, retire doucement ses bagues diamantées, les pose sur la table basse, laisse l'alliance sur l'annulaire et plaque délicatement les mains maternelles sur le ventre de sa sœur. Il sent une retenue, et insiste, l'air de rien. Pam rit, gênée, mais laisse faire son fils. Mathieu guide ses doigts dans des mouvements doux et arrondis autour du nombril de Vanessa, dans le sens des aiguilles d'une montre.

« Ahhh ! » hurle la jeune fille, avant de partir dans un faible rire de chatouilleuse indomptable.

Pam a immédiatement retiré ses mains.

« Non, arrête ! s'exclame Mathieu. Non, je veux dire, ne t'arrête pas, maman, c'est normal, c'est Vaness, il faut que tu respires Vaness ! »

Le rire si fluet devient contagieux, tellement il fait plaisir à Mathieu. Mathieu et sa mère se font emporter par son flot cristallin. Les deux masseurs profitent de l'occasion et se laissent transporter par la joie.

« Tu m'as fait peur, dit Pam, j'ai cru que je te faisais mal.

– Tu peux pas me faire mal ! » répond Vanessa.

Sa mère la regarde et sourit, émue.

« Tu peux continuer ? S'il te plaît... » poursuit Vanessa en regardant Pam.

La femme hirsute aux cheveux afro qu'est devenue Pamela, de son vrai nom Gisèle, dévisage sa fille, car elle vient de lui demander quelque chose. C'est un événement qui l'emplit d'un sentiment étrange de bien-être insoupçonné. Mathieu fait des vagues en pétrissant la chair avec ses petites mains et observe en douce celles de sa mère qui le suit. Sa maman et son passé dont il sait des choses, ce joli prénom, « Gisèle », qu'il trouve bien mieux que « Pamela », mais il n'ose pas encore en parler, ce n'est pas le moment.

Et le drame qu'elle a vécu avec sa grande sœur, qui est peut-être en train d'être réparé.

Pam, maladroite, se lance seule. Mathieu s'occupe de masser les pieds de sa sœur, et sa maman se concentre sur le ventre, puis le visage. Inspirée par un instinct qui a soudain l'espace de pouvoir s'exprimer, elle entoure Vanessa de ses bras, souffle sur elle, masse son visage, comme on a souvent dû masser le sien pendant ses nombreux soins de beauté. Mathieu a enlevé les chaussons de sa sœur et réchauffe ses pieds comme un vrai professionnel.

Pam et son fils semblent lutter contre un ennemi invisible. Ils repoussent un mur qui se dresse autour d'eux. À chacun de leurs mouvements sur le corps de Vanessa, comme à chacun des coups portés dans la neige par J.-P. et Samuel, c'est comme si tous avaient entamé l'entreprise étrange mais viscérale de repousser cette prison sournoise qui s'élève autour d'eux, et de la détruire. De chaque côté du corps de Vanessa, la mère et le fils ne peuvent s'empêcher de sentir que l'air rétrécit, comme un ballon qui se dégonfle.

Une bougie recluse dans un coin vient encore de s'éteindre. Le living rapetisse, dirait-on, et le petit et sa maman continuent de résister contre l'avancée de l'ennemi, en plus de soulager la jeune fille. Pam fait tout comme son fils, et invente. Vanessa tremble moins et s'apaise petit à petit. Les mains de sa mère ralentissent leurs mouvements sur son ventre et s'attardent sur la blancheur et la douceur de sa peau. Pam s'arrête et regarde le nombril de sa fille, se penche et l'embrasse. Une larme coule sur la chair de sa chair, elle revoit sa fille bébé et enfouit soudain son visage dans ce ventre accueillant qui lui a tant manqué lorsque sa fille est née. Vanessa, comme si elle comprenait tout, pose ses deux mains sur la tête de sa mère, caressant ses cheveux en bataille, pour l'apaiser. Pam respire la peau de sa fille et la serre contre elle en pleurant.

Quelques minutes s'écoulent. Pam se redresse, embrasse les poignets de son enfant et masse ses doigts fins, ses bras, ses mains. Un sourire interminable se dessine sur le visage de la jeune fille. Ce sourire radieux et incontrôlé se démultiplie sur Mathieu et Pam. Ils sont tous les trois heureux, transformés. Lentement, et avec autant de pudeur et de maladresse, mais emportée par ses gestes qui la réchauffent en même temps que sa fille, Pam s'assied sur le canapé et pose la tête de Vanessa sur ses cuisses. Elle continue à frotter son corps, doucement, par-dessus les couvertures pour ne pas stopper le mouvement. Vanessa regarde sa mère. Pam le sent, elle reste centrée sur ses mouvements, gênée par cette impudeur inhabituelle. Vanessa ne lâche pas son regard. Pam cède et pose ses yeux sur ceux de sa fille. Les yeux des deux femmes ne font plus qu'un. Mathieu fixe sa sœur qui fixe sa mère. Vanessa ferme les yeux et sourit. Les coups continuent de retentir au loin. Les hommes creusent, Samuel fredonne la mélodie douce d'« On s'aimera ». Pam et Mathieu ne s'arrêtent pas de masser, entraînés par la chanson de Samuel. Vanessa semble dormir.

« Yes ! hurle Sam, dont la voix puissante et dominatrice parvient par le tunnel. On a trouvé un autre trou ! Venez voir, c'est mortel ! »

Mathieu regarde sa mère qui l'invite des yeux à aller voir. Elle fait signe qu'elle reste là. Elle découvre un plaisir immense à s'occuper de sa fille qu'elle a soudain pour elle, sa fille qu'elle n'a pas vue depuis une éternité, sa fille qu'elle a retrouvée, qui a grandi, qui est devenue une femme étrangère. Pam sent des larmes qui coulent encore. Elle les essuie, comme prise en faute. Pourquoi pleure-t-elle ? Elle est heureuse. Comme par magie, la bougie vacillante reprend toute sa vigueur et sa flamme redevient pleine et rassurante. L'air est revenu.

Bleu

Pam est abandonnée, à côté de sa fille, sur le canapé. Mathieu dort à l'autre bout. J.-P. ronfle dans son fauteuil. Sam, allongé sur le dos, compte les secondes en chuchotant, regarde le groupe endormi, la pièce sombre, se lève, prend une pelle et monte les escaliers. Guidé par sa montre-torche, il trouve la porte du bureau de son père ouverte, entre et découvre cette pièce dans laquelle il n'a jamais mis les pieds, regarde les photos sur les murs : c'est lui petit, sa sœur, Mathieu bébé, sa mère plus jeune, tous en vacances, réunis, il y a longtemps. Il s'attarde sur une photo de lui à deux ans, juste avant la naissance de sa sœur, juché sur les épaules de son père.

Une autre image de sa mère il y a dix ans, souriante, l'autre maison, les « avant », le ski, la mer, les sourires, les copains.

Sur la table du bureau règne un amoncellement de papiers en fouillis, auquel il ne prête aucune attention. Il dégage des morceaux de verre au sol, lève les yeux, remarque le vasistas défoncé, monte sur la chaise qui a servi de piédestal pour creuser et tente des coups de pelle pour continuer le début de galerie commencé par son père. Mais son bras, trop court, ne va pas assez loin. Il descend de la chaise, file en bas dans le débarras, trouve un escabeau et remonte dans le bureau.

La hauteur est parfaite. Samuel grimpe comme un singe, allant jusqu'au bord du vasistas crevé, en équilibre, pour plonger sa pelle et dégager la neige. Il creuse de violents coups à l'horizontale puis en profondeur, vers le bas. Son énergie est telle que son élan l'entraîne soudain, le faisant tomber dans le boyau entamé. La neige encore fraîche cède sous le poids de son corps et Samuel est happé par le vide. Aucune résistance ne le retient et, au bout de quelques secondes, il atterrit très bas, enseveli par la masse blanche. Affolé, il crie, se débat, se sentant enfermé dans un puits dont les parois neigeuses l'étouffent. Mais plus il s'agite, plus il s'enferme dans la matière devenue presque vivante, comme un monstre tentaculaire invisible, enfoui sous le blanc immaculé.

Sam perd connaissance.

Réveillé en sursaut, J.-P. est alerté par un instinct devenu suraigu. Il regarde autour de lui. Tout le monde dort. Sam n'est pas là.

Il se lève d'un bond, va dans le premier igloo-salle de bains, fouille dans le nouveau, revient, traverse le living, peine à respirer, va dans le garage, se précipite dans la cuisine, dévale les escaliers vers la cave. Toujours pas de Sam. Il remonte comme une fusée, va dans la chambre de son fils qu'il trouve vide et, apercevant la porte de son bureau ouverte, y pénètre.

Il croit entendre des bruits qui viennent du vasistas, monte sur l'escabeau, découvre un affaissement à l'endroit où il avait creusé et devine.

« Sam ! SAAMM !!! » hurle-t-il en se penchant vers le gouffre.

Il descend de l'escabeau, se précipite en bas, traverse le living, dégringole l'escalier, tombe, trébuche, respire de plus en plus mal, fonce dans le garage et fouille partout. Il trouve enfin une corde solide dans le matériel de camping, des crampons sur lesquels il fixe la corde, et remonte à toute allure.

« Qu'est-ce qui se passe ? articule Pam, cotonneuse.

– Sam est tombé dans une crevasse, répond J.-P. sans s'arrêter en remontant l'escalier, disparaissant dans son bureau.

– Quoi ? » demande Pam en se levant mollement, prenant garde de ne pas réveiller sa fille et son fils.

J.-P., dans son bureau, grimpe sur le bord du vasistas en s'arc-boutant. Il fixe un crampon sur le bord, attache la corde au bout sur une certaine longueur, calcule si c'est assez long, s'assure de la prise sur le bord de la fenêtre et s'enfonce dans le trou neigeux, en escaladeur téméraire mais non averti. Il descend à la force des bras, prenant appui avec ses pieds contre le mur extérieur de la maison, pour aller chercher son fils.

Pam, arrivée dans le bureau de son mari, devine ce qui se passe et attend. Elle monte sur l'escabeau et assure la prise du crampon sur le bord du vasistas, même si elle se sent impuissante. Elle ne voit plus son mari, enfoui sous la neige. D'interminables minutes passent.

« Ça y est ! Je l'ai ! Je l'ai ! crie J.-P. d'en bas.

– Tu peux le remonter ?

– Oui ! Il faut que je le réveille ! »

Silence. Pam entend des claques... des cris.

« Pam ! »

La voix de J.-P. est sourde et semble venir des entrailles de la terre.

« Oui ! hurle-t-elle à son mari.

– Je peux pas le remonter sur mon dos avec la corde, il est trop lourd ! J'y arriverai pas, et on risque de tomber plus bas ! »

Pam entend J.-P. étouffer et tenter de reprendre son souffle.

« Il faudrait que tu trouves une autre corde ! continue-t-il difficilement. Ou quelque chose pour que j'aie plus de prises… Essaie de faire des nœuds avec des tissus, ça sera plus épais, et je pourrai le remonter !

– OK… OK, OK ! » hurle Pam en filant vers sa chambre.

Elle sort tout en vrac d'une commode luxueuse, tombe sur ses draps en soie, trop glissants, qu'elle jette à terre.

« Merde ! »

Elle sort de sa chambre et file dans le garage en trombe, va directement vers une vieille armoire, qu'elle ouvre en la dépoussiérant rageusement, et en sort des draps en tissu de coton, vieux, rugueux et épais.

« Qu'est-ce qui se passe ? demande Mathieu, réveillé.

– Rien… rien… Reste avec Vanessa, ne t'inquiète pas, on revient », dit-elle en remontant avec son tas, nouant les étoffes les unes aux autres.

Arrivée dans le bureau, elle prend un crampon resté au pied de l'escabeau, fixe sa chaîne de tissu dessus.

« Je t'envoie des draps ! Dis-moi si ça marche ! Je… ils sont bien fixés ! hurle Pam en lançant son assemblage dans le vide. Ça descend pas, le poids n'est pas assez lourd ! »

Elle cherche ce qui pourrait peser et attrape l'imprimante sur le bureau de son mari, qu'elle accroche sans hésiter à la cordée improvisée. Le poids semble suffisant, il descend.

« Tu vois le drap ? » hurle-t-elle.

Elle attend, impuissante. Le tissu se tend, puis tire sur le crampon, et elle sent que son mari remonte, portant son fils vers la surface.

Pam est perchée comme un oiseau sur une branche, espérant le miracle. Elle fixe le trou brouillé par la neige et voit enfin la tête de J.-P. qui porte son fils sur ses épaules, entouré de la corde, pour parer une chute, grimpant à la force de ses bras et de ses avant-bras, entourés des draps qui lui donnent une prise mais lui coupent la circulation. Il peine énormément.

« Comment je peux t'aider ? » demande Pam, désarmée.

J.-P. s'arrête et reprend son souffle. Il ne peut pas parler.

Pam tente de soulager le poids de Samuel en tirant de toutes ses forces sur les draps qui soutiennent son corps. Elle aide son mari, et, de centimètre en centimètre, il arrive au bord du vasistas. Pam agrippe le corps de son fils, elle le tient dans ses bras et en déployant une énergie qu'elle ne soupçonnait pas, elle le hisse, le porte, s'entourant elle-même de la corde pour ne pas le lâcher, le faisant glisser vers le sol, alors que J.-P., arrivé sur le bord de l'ouverture, épuisé, tombe de l'escabeau, suffoquant. Pam cherche dans les poches de son mari son vaporisateur de Ventoline, ouvre la bouche et projette le médicament dans sa gorge.

Mathieu apparaît à la porte.

« Sam ! Qu'est-ce qu'il y a... hein ?... Papa ? Maman ? Je vais chercher Vanessa ?

– Non ! Aide-moi. Aide-moi. Viens, dit Pam, agenouillée autour de J.-P. et de Sam.

– J.-P... Ça va ?... demande la femme.

– Oui... » dit l'homme revenant à lui, se redressant doucement.

Mathieu aide sa mère qui secoue la neige des habits de Sam, ouvre boutons et fermetures Éclair et claque ses joues.

« Sam ! Sam ! »

J.-P. s'est approché et aide sa femme.

« Et le feu ! Il remarche ! dit le petit pour égayer la situation.

– ... C'est bien... Tant mieux... » dit Pam.

J.-P. s'approche de son grand fils évanoui, lui pince le nez et lui fait du bouche-à-bouche. Pam et Mathieu le regardent et sourient en voyant Sam qui revient doucement à lui. Mathieu saute sur place de soulagement et de joie. Sam reprend ses esprits doucement. J.-P., debout, porte son fils, aidé par sa femme, Mathieu suit le cortège qui descend l'escalier, aide ses parents à allonger Samuel près du feu. Sa mère et son père le couvrent de duvets et couvertures avec application et tendresse. Le petit guette le regard de sa mère, et tous deux, complices, commencent à masser Samuel pour le réchauffer.

J.-P. regarde le feu, effectivement plus vaillant.

« On peut faire du feu, mais on n'a plus de quoi... c'est ça ? demande J.-P., l'œil allumé.

– Ben oui... répond le petit.

– Prends une autre chaise, dit J.-P. en buvant une goulée de whisky. Tu en veux ? » propose-t-il à sa femme en lui tendant son verre.

Elle l'attrape et boit lentement, savourant le liquide, dans le verre de son mari.

« Merci... »

Puis elle retourne à son travail de masseuse.

J.-P. regarde la scène. Il renaît dans l'image qui s'offre à lui. Sa femme, le visage rougi et les cheveux en bataille, promène ses yeux doux et ses mains bienveillantes sur le corps de son grand fils, objet de toute son attention. Elle semble être une autre. Sam ferme les yeux, reprenant petit à petit des forces. J.-P. réprime un étouffement d'émotions étrange. Il a envie de vomir, se lève brutalement pour aller dans la cuisine, glisse, se relève et sort vers l'igloo-salle de bains. Arrivé dans l'antre glacé, il braque son faisceau de montre et tâte la neige, puis pose ses mains refroidies sur ses tempes, ses yeux. Soudain, il enfonce tout son visage dans la neige, se nettoyant de tout ce qu'il peut. Apaisé par le froid, il revient s'asseoir près des autres.

Il cogite et observe la pièce autour de lui.

Que s'est-il passé ? Son fils a failli disparaître dans les profondeurs de blanc, sa fille est très faible, le cauchemar s'est épaissi et devient réel, palpable.

L'homme se sent étourdi, il a des fourmis dans la tête. Il arrête ses yeux sur un tableau de Van Gogh, *Nuit étoilée sur le Rhône*, et fixe cette peinture magique. Des étoiles scintillent au bord du fleuve, lucioles magiques dans le bleu nuit. Ses yeux continuent leur balade observatrice et s'attardent maintenant sur une œuvre de Miró. Une toile bleue, et deux points, l'un épais en bas à gauche, l'autre plus petit en haut à droite, tous deux rejoints par un trait fin. J.-P. contemple ce tableau qu'il n'a jamais vraiment eu le temps d'observer. Pourtant il l'aime tant, depuis tout petit. Les vapeurs de l'alcool le ramènent au jour où sa mère l'avait emmené au musée d'Orsay pour lui faire découvrir Max Ernst, Miró, Magritte. Ce jour fatal depuis lequel il avait voulu devenir peintre. Mais, quand on naît dans une famille d'architectes, on ne devient pas peintre, ce n'est pas dans le cours naturel des choses. J.-P. avait donc rangé ses pinceaux et ses idées folles et opté pour des études d'architecture, son métier destiné et inévitable. L'homme a une bouffée d'émotion devant cette image, qu'il aurait profondément aimé réaliser. Des larmes coulent le long de son visage, qui n'a pas été rasé depuis il ne sait plus quand.

« Comment il a pu faire ce bleu ? Comment il a pu, le salopard ? balance J.-P., les yeux rouges d'une folie soudaine. Comment il a trouvé ce bleu-là ? Je me suis toujours demandé... »

Le peintre frustré se lève et marche de long en large. Pam le regarde entre ses yeux mi-clos, songeuse. J.-P. va à la cave, remonte bredouille, puis fouille dans le garage.

« On n'a pas de la peinture... des vieux pots ?... des restes pour les travaux ?...

– Moi, je sais où y en a ! » crie Mathieu, bondissant pour assister son père.

Tous les deux fouillent dans le hangar à trésors anciennement appelé « garage ». Ils tombent sur de gros bidons de peinture. J.-P. les attrape, agité et impatient, et les pose dans le living à côté d'un grand mur blanc, face à la cheminée. Il monte l'escalier, suivi de son fils, dépouille les placards de son bureau et y trouve, enfouis et oubliés, d'autres pots de peinture, bleue, rouge, verte, de toutes les couleurs.

« Haaaaa ! » crie l'homme vainqueur, soudain transformé en conquérant.

Mathieu l'observe en riant comme un petit diable. Le père et le fils chargés de pots et de pinceaux redescendent. Sans préparation d'aucune sorte, J.-P. trempe sauvagement un pinceau dans un des pots et le ressort aussitôt pour en étaler la couleur sur la belle et grande table en cristal serti dont il a décidé de se servir pour mélanger ses teintes. La surface transparente, travaillée dans ses moindres détails, d'un coût faramineux, se transforme en une palette inondée de couleurs.

Mathieu, estomaqué, suit l'exemple, entreprenant de décorer la table, autrefois interdite, d'un dessin de nuages bleus traversés d'oiseaux colorés. Son père, les cheveux en bataille, continue ses mélanges et trouve un premier bleu qu'il expérimente à même le mur. Pam regarde son mari en massant son grand fils fatigué, qui sourit et se met doucement à rire. Pam est entraînée, puis Vanessa, puis Mathieu lui-même.

Malgré les angoisses bouillonnantes, les rires nerveux l'emportent et résonnent dans l'immensité solitaire. J.-P. repeint tout le mur, qui devient une étendue de bleus qui se déclinent comme une mer déchaînée. Il transpire, créant la fresque dont il a toujours rêvé, mélange, essaie, applique, recommence, cherche. Une fois le mur recouvert totalement, il respire à nouveau et plonge ses pinceaux dans les pots vides. Il regarde son œuvre en prenant du recul, alors que Pam, Vanessa et Sam se sont rendormis. Au bout d'un temps qui lui semble une vie, libéré et exténué, il laisse jaillir des sanglots silencieux, en buvant du whisky, soulagé, heureux, perdu dans une extase étrange. Il décroche le tableau de Miró et le compare avec ses tons de bleu. Il se met à rire, fou, le corps couvert de bleu de la tête aux pieds.

Il descend en courant dans la cave, en remonte une boîte à outils, de laquelle il sort un marteau et un clou, et fixe le tableau de Miró au milieu de sa mer de bleus.

Puis il regarde sa famille endormie, et la table où son fils, lui aussi, a peint des oiseaux. Il se ressert une lampée de whisky, trinque à toute la pièce, à toute la situation, puis il rallume le feu. Calmé quelques secondes, il contemple l'immense bordel. Tous les meubles. Il rit de plus en plus bruyamment dans ses larmes.

Pam ouvre un œil et regarde sans rien dire. Un sourire s'échappe de son visage, l'image de son mari couvert de couleurs debout devant ce mur bleu magnifique et surréaliste la ravit. Des foules d'images entremêlées lui reviennent, des couleurs, des toiles peintes dans leur chambre de bonne, des peintures à même les murs. Le tourne-disque et Léo les berçaient des journées et des nuits interminables, où J.-P. peignait Gisèle dans toutes les positions, dans tous ses états, sous toutes ses formes, habillée ou nue, au réveil, au coucher, avant l'amour, après l'amour. Leur vie n'était que la peinture et la musique. Gisèle écrivait et jouait, quand un piano lui offrait la possibilité de s'exprimer, dans un bar de jazz ou ailleurs, n'importe où.

Pam a les yeux fixés sur son mari, raide comme une statue de sel, lui-même les yeux rivés sur sa mer de bleus. Dans cet instant suspendu, tout lui revient en mémoire, c'est comme une claque qui cingle son cerveau. Jean, c'était le prénom du père de J.-P., lui faisait une guerre sans relâche, sa mère, elle, était malade. Le vieil homme menaçait son fils de le bannir de la famille s'il ne reprenait pas ses études d'architecture et s'il continuait à vivre dans l'incertitude et la bohème.

J.-P., très lié à sa mère, ne pouvait pas rester sans la voir. Il sentait bien que ses désirs artistiques lui faisaient du bien, même si elle restait secrète. Il savait que les tableaux qu'il peignait la rendaient heureuse, lui donnaient de la lumière, allumaient une étincelle dans ses yeux. Un jour, il lui en offrit un pour Noël. Son père prit le canif avec lequel il découpait sa viande, se leva, arracha la toile des mains de sa femme et la déchira, devant toute la famille attablée autour du banquet englouti. L'homme enragé brandit les morceaux du tableau disloqué entre ses mains et jeta le tout dans les flammes de la cheminée. La mère de J.-P. mourut une semaine plus tard. Quant à lui, il s'enferma dans la chambre qu'il partageait avec Gisèle et détruisit quasiment tout ce qu'il avait créé, brûla, arracha, jeta, malgré les supplications, les hurlements, les bagarres violentes que cela avait entraîné entre eux.

J.-P. disparut. Un jour, il revint voir Gisèle, qui, entre-temps, s'était fait baptiser « Pam ». Il avait une situation, il était architecte, et il la demanda en mariage.

Pam essuie furtivement une larme sur sa joue en feu, ses yeux perdus dans la fresque de bleus que vient de peindre son mari. « C'est beau », murmure-t-elle. J.-P. sourit à peine, les yeux embués, pleins de douleur enfouie.

« Mathieu ? dit Pam à son fils qui émerge du sommeil.

– Oui, maman ?

– Tu viens avec moi ? »

Le petit regarde sa mère. Elle lui tend le bras et se lève péniblement en dégageant très doucement la tête de Vanessa de ses cuisses. Mathieu l'aide. Ils se dirigent vers le garage.

« Oui, maman ! » répète l'enfant, monté sur ressort.

Samuel émerge et reste ébahi devant le mur devenu bleu.

« Oh putain ! Qui a fait ça ? Oh le bordel ! Trop fort... Hein ? Hé... hé, le daron ?... C'est toi qui as fait ça ? C'est mortel, sans blague ! Tu dessines grave ! Pourquoi t'es pas graphiste ou peintre ou je sais pas ? Faudra t'y remettre... Parole de fils. »

Cabane

Chargés de cartons, Pam et Mathieu reviennent dans le living, près du reste de la famille. Ils entreprennent un dépiautage de tout ce qu'ils entreposent, déménageant petit à petit le garage près de la cheminée. Ils trient ce qui va au feu et en font plusieurs tas. La famille forme une chaîne pour tout organiser autour de la cheminée et faire tenir un feu dans un des igloos. Les cartons vides envahissent le living, qui paraît moins froid. La mère, les fils et le père transforment la pièce autour de Vanessa plongée dans un sommeil profond. Samuel prend les cartons vidés au fur et à mesure, et les encastre les uns dans les autres. Ils finissent par encercler la famille. Un mur se dresse autour d'eux.

« Pas mal, non ? Vous avez pas plus chaud, comme ça ? »

Des objets de toutes sortes sont amoncelés, exposés. Chacun s'occupe de son carton à vider, de ses trouvailles à trier. Ils dépiautent toutes les boîtes, emballages de rangement, et trouvent des photos par paquets, par boîtes abandonnées depuis longtemps, scellées par le temps. Ils se passent les images, et chacun laisse rejaillir sa mémoire, en silence, porté par une lassitude grandissante. Ils tombent aussi sur des dessins abandonnés de J.-P., qui aussitôt les récupère et les cache. Pam se lève ostensiblement et, ayant attendu que son mari s'occupe d'autre chose, va chercher les œuvres dans leur cachette.

« C'est votre père qui a peint tout ça... »

La femme, debout dans la pénombre, brandit des feuilles de papier ou des toiles molles, figurant des paysages de tempêtes, des landes aux herbes agitées, des portraits de femme.

« C'est toi ça, non ? dit Mathieu, tout agité.

– Oui », dit Pam, qui continue l'exposition.

Suivent des natures mortes, des paysages exotiques de plages, petits cabanons et flore sauvage. Les deux fils restent ébahis devant les impressionnantes peintures, éclatantes de couleurs lumineuses et magiques, comme si elles éclairaient la pièce.

« C'est toi qui as fait ça ? murmure Mathieu à son père, occupé à trier des bibelots.

– C'est vieux, grommelle l'homme.

– On s'en fout... Ça a pas d'âge un truc que tu crées, c'est de la magie et puis c'est tout. Pourquoi on les a jamais vus ? demande Sam.

– Parce que c'est fini, lâche J.-P. d'un air fermé, alors que sa femme, chargée des dessins, va tranquillement chercher du scotch dans la cuisine et dispose une à une les œuvres sur les cloisons en carton.

– Voilà l'expo privée des travaux de votre père », dit-elle.

Les enfants admirent.

« C'est fini ? Ben non, c'est pas fini, ça finit jamais, des trucs comme ça... » dit Samuel.

Tina Turner encourage de son intarissable « Proud Mary », chantant sans le savoir pour entraîner la famille, de sa voix puissante et lumineuse. Sournoisement, la chanson devient grave et lente, sa voix change et bave dans le mange-disque.

« Qu'est-ce qui se passe ? demande Mathieu, inquiet.

– Y a plus de piles... dit J.-P.

– Oh non ! Non ! Il faut des piles ! Où est-ce qu'il y en a ? » crie Sam.

Son père le regarde.

« Désolé. On n'a pas de piles, non... Et si on avait des piles, on les garderait pour autre chose que pour écouter de la musique...

– Sans musique, moi je crève !

– Non...

– Regardez ! » crie Mathieu, sans doute pour rompre la dispute naissante.

Il brandit une grande photo légèrement froissée représentant toute la famille. Les enfants sont plus petits, tout le monde est souriant et les parents, plus jeunes, s'embrassent. Tous s'attardent sur l'image, interdits. Vanessa s'est réveillée. Pam prend la photo et porte ses doigts à son visage.

« Mon Dieu, comme j'ai vieilli.

– Non, c'est pas vrai ! dit Mathieu.

– Oh si...

– On s'en fout ! » crie Sam.

La femme pose la photo sur la table basse. J.-P. la regarde sans rien dire. Vanessa gémit, elle a froid. Sa mère, interrompue dans sa plainte, se rassied et reprend la tête de sa fille sur ses genoux, en se penchant vers son visage, comme en un geste automatique. Vanessa tremble encore.

« J'ai fait un cauchemar, dit-elle. Où est mon ordinateur ? »

Mathieu le lui apporte.

« Tiens, dit-il.

– Merci, Mat, dit Vanessa. J'ai rêvé que je tombais dans un trou et qu'il y avait jamais de fond, je faisais que tomber, tomber, tomber. C'était horrible », continue-t-elle en frissonnant.

Sa mère la regarde et lui touche les cheveux. Vanessa ouvre les yeux et sourit à nouveau.

« Ça fait du bien... Encore... » dit-elle faiblement.

La mère continue d'apaiser sa fille.

« Merci... dit-elle. Qu'est-ce que vous faites ? »

Pam se penche vers elle et lui parle avec tendresse :

« On fait du rangement...

– Ah... Cool...

– Oui... Cool... répond Pam en interrompant ses caresses maternelles pour retourner au tri.

– Non... s'te plaît... »

Pam reprend son massage en observant les traits de sa fille. Elle les dessine de ses doigts.

« Tu es belle, dit la mère.

– Toi aussi, répond la fille. Il faut que t'arrêtes le bistouri. C'est une saloperie... Et t'es bien plus canon, là... Quand t'es moins maquillée...

– Il fait plus chaud, là, quand même », coupe Mathieu.

Sam, en manque de musique, tape sur des percussions trouvées dans un carton.

« Viens, frérot... Ça, je te jure que c'est un chauffage de la bombe ! »

Les deux frères tapent en se dandinant. Leurs coups harmonieux, même s'ils sont gauches et hésitants, résonnent dans la grande pièce comme des tambours de rassemblement.

« Ça fait comme une cabane, maintenant ! » dit Mathieu.

J.-P. regarde la nouvelle cloison tout autour d'eux et veut suivre l'optimisme de son fils. Il lui sourit pour lui faire plaisir.

« Ouais… Une nouvelle maison ! »

Mathieu lui rend son sourire, vainqueur, son djembé en carton entre les mains, à côté de son frère. Deux chefs de tribu.

« J'reviens ! » crie Samuel en disparaissant comme un animateur de foire.

Il réapparaît quelques minutes plus tard en soufflant dans sa trompette, tambourinant sur d'autres congas et percussions diverses. Il en colle dans les bras de sa mère qui le regarde, interdite, puis de son père, qui fait la moue avant de se laisser entraîner et de tapoter, un peu gauche, sur les peaux tendues. Samuel exécute un rythme simple et fait signe au groupe de le suivre, puis lorsque tout le monde est accordé, il place des contretemps ou souffle un air dans sa trompette. Le son qui résulte de ce bœuf improvisé est brut et puissant. Il chasse les fantômes du silence et du froid. Chacun se laisse emporter par la musique et les sons inspirants et envoûtants. Vanessa chantonne en tapant dans ses mains et ne tremble plus.

Quelque part en eux, des petites voix poussent dans leurs craintes, des petites étoiles flottent dans leurs veines, se baladant un peu partout, sorte de poudre de perlimpinpin qui laisse des traînées de bonheur. Ces voix murmurent qu'il se passe quelque chose de bon, de simple, d'essentiel, elles font honneur à une chaleur primaire qui revient, qui germe, envers et contre tout.

J.-P. a les yeux fermés, le visage sanguin, et cogne sur son instrument qui éclate, comme ceux de Pam et des garçons. Le rythme qui s'élève de cette improvisation libre est celui de cette famille, de ces êtres qui, à travers ces instruments primitifs, se retrouvent. Vanessa, réchauffée, chante de plus en plus fort et fait chalouper son corps.

Petit à petit, le tempo ralentit, le calme revient. Les souffles d'abord saccadés deviennent réguliers et plus calmes. Les yeux et les joues sont en feu, et la chaleur se diffuse inexorablement à l'extérieur des chairs brûlantes. Pam, J.-P., Mathieu, Samuel et Vanessa se regardent, étonnés et un peu gênés par ce qu'ils viennent de faire ensemble.

« Putain le pied ! Le pied ! Vous êtes bons ! Vous êtes super bons ! » hurle Samuel en sautant.

Les rires fusent, jaillissent, se contiennent, aucun autre mot ne vient, seules les respirations parlent, se confondent, se mélangent, retrouvant un autre rythme paisible. Samuel brandit deux lampes de poche et les allume.

« Yes ! Yes ! Regardez les trésors ! crie-t-il encore en posant les deux faisceaux pointés vers le plafond, à côté des bougies discrètes, mais vaillantes.

– Ça fait du bien, la musique... dit Pam timidement.

– C'est de la bombe !! crie Sam.

– On est bons, il a dit, Sam...

– Si Sam l'a dit, alors... » dit J.-P. en souriant à Mathieu.

Chacun sourit vers le feu, redescend de sa montagne jaillissante d'énergie, pour disparaître dans un sommeil profond.

Les yeux sont tous fermés, sauf ceux de Mathieu, qui sort son petit trésor de lettres entre « Gisèle » et son père. Il veut en savoir plus, c'est son histoire préférée. Maintenant qu'il sait que ce sont ses parents, il se dit qu'il a le droit d'être curieux. Il lit en cachette à la lueur d'une bougie qu'il rapproche du papier.

« Je suis une autre femme depuis que tu m'as croisée, depuis que je me suis assise à cette terrasse en face de toi. Tu as dû me jeter un sort. Mes jambes n'ont plus la même démarche, mes mains sont légères comme des papillons et me donnent l'envie irrésistible de voler... Je me sens belle, plante, herbe, liane. Je veux t'aimer, c'est mon projet majeur, et tous les autres seront les suivants. Tu m'enveloppes de tous tes yeux qui se démultiplient de leur bleu transperçant quand ils me regardent, tu as mille regards, mille mains quand tu me touches, mille sexes, mille bouches... »

Mathieu interrompt sa lecture, très gêné, ne comprenant pas bien les mots qu'il y trouve, et conclut, honteux, que cela ne le regarde pas. Il ne savait pas que son père avait autant d'yeux, de mains et de sexes. Les grandes personnes ont des secrets bien à eux qu'il ne faut pas tenter de percer. Pam se réveille et regarde son fils. Elle l'observe et, encore dans le coton, reconnaît l'écriture, le papier, ses lettres.

« Qu'est-ce que tu fais ? dit-elle.

– Je lis des lettres d'amour de Gisèle, une amoureuse de papa », dit-il de but en blanc, très calmement.

Pam tend la main, lasse.

« Donne-moi ça... C'est moi Gisèle...

– Je sais... Je sais que c'est toi. Papa me l'a dit...

– Ah bon ? Il y a longtemps que tu as trouvé ça ? Sans m'en parler ? chuchote-t-elle. T'es gonflé, quand même... C'est à moi. »

Mathieu cache aussitôt la lettre dangereuse en la perdant parmi les autres. Pam regarde dans sa direction les yeux écarquillés, comme si elle avait une hallucination. Mathieu a un sursaut de frayeur, persuadé qu'elle va se fâcher, mais elle se lève lentement et avance vers lui, comme poussée par une force surnaturelle.

« Regarde ! Regarde ! » dit-elle en pointant le doigt vers un tout petit faisceau de lumière, juste derrière son fils.

Une lame blanche, fine comme un fil, transperce la pénombre dans le conduit de la cheminée. Mathieu se retourne et observe sans bouger l'apparition éclatante. Pam se lève et va mettre sa main dessous. Elle sent de la chaleur et ferme les yeux de tout son émoi. Mathieu la rejoint. Samuel se réveille, J.-P. ouvre les yeux. Chacun à tour de rôle va toucher la chaleur de la fine lame de lumière avec sa main. Les rires s'amorcent, les oreilles se tendent pour guetter le moindre bruit d'hélices, de voix, de sauveteurs. On piétine de joie. La tempête a dû s'arrêter, les secours vont venir, le cauchemar va s'évanouir, le jour revenir, la vie, l'avant. Les visages sont suspendus au frêle trait. Ils attendent le son d'un hélicoptère.

Mais, soudain, un violent déchirement éclate dans la pièce, suivi d'une secousse très forte et de craquements aigus. Mathieu se réfugie dans les bras de sa mère, qui se précipite sur le canapé où Vanessa tremble. J.-P. et Samuel se ruent sur le groupe, protecteurs. Les craquements redoublent, c'est une impression atroce et inconcevable, c'est comme si le toit s'arrachait, comme si la maison se déchirait en hurlant à la mort. C'est impossible, inacceptable, cela ne peut pas être. Pourtant le bruit persiste, éventrant le haut de la maison.

Les cinq êtres s'agrippent les uns aux autres, les mains cherchent un appui, compriment, s'accrochent où elles peuvent, sur un bras, une jambe, un cou, d'autres mains. La famille, en bloc armé de courage, se dresse instinctivement, attendant que l'horreur s'arrête. À cet instant précis, tous savent que c'est fini. La maison va bientôt s'abattre sur eux. Les visages sont enfouis dans les corps recouverts d'étoffes, dans une sorte de supplication contenue, de brouhaha de geignements, de cris, de pleurs étouffés.

« Pardon... Non... Non... Non c'est pas possible... Serre-moi... Maman... Papa... Putain, me lâchez pas... Me lâche pas... Tiens... Tiens-moi... Tiens-moi... Accroche-toi... Pardon... »

Les voix se mêlent les unes aux autres, pour en former une seule et unique. J.-P. regarde Pam. Un tremblement épouvantable secoue toute la maison, comme si elle était en carton, inexistante. Les meubles cognent le sol et les murs, comme s'ils se réveillaient dans une danse morbide et saccadée, provoquant des sons de tam-tam endiablé. Le ventre de la terre semble exploser. Le bruit s'interrompt soudain. Un silence pèse, lourd comme la mort. Les cœurs cognent, les mains sont imbriquées les unes dans les autres, les yeux sont fermés par instinct de protection. Doucement, l'étreinte se desserre, les visages se relèvent, les corps se détendent, indemnes. La sculpture familiale se disloque lentement, chacun se désolidarise de l'autre, encore anesthésié par la violence de ce qui vient de se passer. J.-P. se redresse doucement et se guide à tâtons, oubliant ses repères, dans les marches de l'escalier.

Il monte, accroché à la rambarde dorée, vers le couloir là-haut. Au fond du sombre étage, un morceau de rocher a éventré le toit, traversé la chambre de Vanessa et entamé une partie du couloir. C'est une vision surréaliste dans la pénombre et J.-P. n'ose pas éclairer, effrayé par ce qu'il pourrait découvrir. L'homme, épuisé, reste immobile devant cette image étrange, si belle dans son absurdité, mais peu encourageante. Le rocher a manifestement sectionné une bonne partie du toit.

J.-P. pousse une sorte de râle avorté qui attire Sam, accourant pour voir la chose à côté de lui, puis Mathieu, puis Pam, puis Vanessa, qui se lève difficilement, s'agrippant à sa mère. Tous se figent devant l'inimaginable spectacle, muets, croyant avoir une vision. Sam se met à rire nerveusement, il regarde son père qui suit, puis Mathieu qui enchaîne, puis Pam, puis Vanessa. Imperceptiblement, les rires se transforment en larmes, en panique. Il n'y a plus de limite à rien. Tout est possible, même l'impossible.

« Ça ne peut pas être pire que ce que c'est là, dit J.-P. Voilà... On a eu le pire aujourd'hui. Maintenant on va s'asseoir, tranquillement, en bas dans la cave, si vous êtes plus rassurés, mais on va arrêter de bouger trop... »

Et, en tentant de rassurer sa famille, l'homme regarde le feu agité, comme pour encourager la famille avec ses danseuses flamboyantes.

« Hé ! Regardez qui est là... Regardez ! »

Tous placent leurs espoirs dans les mouvements orangés et se noient dans l'ondulation envoûtante du feu ranimé. Un demi-cercle se forme naturellement autour de l'âtre. En silence, séchant les larmes, s'apaisant, chacun revient à soi, s'accroupit, se met à genoux, jambes croisées, en tailleur, autour des flammes, et ne bouge plus.

Vanessa s'allonge naturellement sur le matelas couvert de couettes et autres sacs de couchage et pose sa tête sur les cuisses de sa mère assise par terre, anesthésiée. Mathieu s'appuie sur elle, puis sur son père qui est à sa droite. Sam se plie sur ses talons, en suspens. Les deux hommes se regardent au bout de quelques minutes qui sont des heures.

Pam pose ses yeux sur Vanessa, qui dort dans ses bras. J.-P. observe Vanessa à son tour, puis se dirige vers la cuisine. Mathieu se lève comme un chat et cherche Léo. Il le retire de sa pochette et glisse délicatement le vinyle dans le mange-disque, oubliant qu'il ne peut plus marcher. Déçu, il scrute la photo de Léo, son « Père Noël ». Il devine la voix de sa mère qui fredonne avec douceur l'air de la chanson. Il la regarde et sourit. J.-P., interdit, pose ses yeux sur sa femme qui se tait aussitôt.

« Viens, Mat... On va faire un gâteau... Allez, on refait un truc avec tout ce qu'on trouve. Sam, viens ! » dit J.-P., gêné, qui, aidé de ses deux fils, éventre des boîtes de conserve et mélange tout ce qui en sort sans vérifier ce que c'est, fayots, maïs, petits pois, haricots, cornichons, un peu de farine, de la glace fondue, de la margarine, du pain de mie.

Ils déversent le tout dans un immense plat creux et forment des boulettes crues qu'ils mettent près du feu sans les cuire et qu'ils engloutissent. C'est sans doute immangeable, mais tout le monde s'en contente. J.-P. passe l'assiette de boulettes crues à sa femme, qui en pioche une après avoir souri à son mari.

J.-P. ne peut pas cacher sa surprise, son trouble. Il ne se souvient pas d'un sourire aussi lumineux de sa femme. Il la regarde et lui envoie tout ce qui lui reste de tendresse. Mathieu a vu, son visage s'éclaire. Une nouvelle mutation s'opère. Un phénomène qu'ils ne peuvent pas définir et qui les tient là, perdus mais heureux. Ils sont scellés contre tout événement qui pourrait les menacer encore, et leur lien se renforce en une armure qui semble indestructible.

Le groupe s'est endormi, ils sont appuyés les uns contre les autres, sans vraiment s'en rendre compte. Les corps forment une sorte de tas humain, les membres sont encastrés, comme un bouclier. Pam extirpe un bras, le lève au-dessus de la tête de Mathieu, qui dort contre elle profondément : elle veut attraper les lettres qu'il a trouvées. Elle arrive à en extraire une et lit, très mal installée, complètement tordue, entre la tête de sa fille sur ses genoux, celle de son dernier fils sur son ventre et les jambes de son grand qui ont gagné de l'espace derrière elle. Son mari dort un peu plus loin. Elle le regarde quelques secondes. Ses yeux vont et viennent entre la lettre et l'homme qu'elle a épousé il y a... Elle ne sait plus combien de temps. Elle a oublié. Elle a la sensation d'avoir tout oublié. Même qui elle est. Et pourquoi tout ça.

« Il n'y a pas un instant où ton visage ne me hante pas, ne me possède pas. Je te vois partout. Dans les autres, sur les autres, dans leurs yeux. J'ai l'impression que ce sont tes yeux qui voient à la place des miens, qu'ils m'aident à voir. J'ai du mal à bien discerner les choses sans ta vision. Protège-moi avec ton regard.

Je t'attends, tu me manques horriblement. Tes yeux de mer m'engloutissent, je ne veux pas remonter à la surface, le feu de ta bouche me consume et me fait renaître, nous nous aimerons comme dans cette chanson que nous avons entendue l'autre jour, n'est-ce pas, mon amour ? Tu m'apprendras ? Je vais te la chanter, cette chanson, partout, je la chanterai sans relâche, et te bercerai avec au piano si tu as envie. Elle est écrite pour nous, tu ne crois pas ? Merci Léo, merci pour ta poésie qui nous rend plus vivants. Je m'endors dans tes bras. Gigi qui t'aime. »

Pam pleure doucement en caressant le visage de Vanessa endormie. Elle chuchote dans le creux de son oreille, comme si elle avait honte :

« Ma fille...

– Qu'est-ce qu'il y a ? Elle a une crise ? murmure J.-P. en ouvrant un œil.

– Non, non, répond Pam, émue.

– Qu'est-ce que tu as ? insiste-t-il.

– J'ai fait un cauchemar.

– Ah, c'est normal... Essaie de dormir... Ça ira mieux demain. Il faut qu'on se repose un peu, non ?

– Si », dit Pam en fermant les yeux.

J.-P. la regarde quelques secondes et les ferme à son tour. Puis il les ouvre à nouveau. Il se lève péniblement, comme s'il avait cent ans, et va vers la cuisine. Pam le regarde, inquiète. Elle articule difficilement.

« Où tu vas ?

– À la cuisine... Je reviens.

– Pourquoi tu vas à la cuisine ? Fais attention... »

J.-P. est affaibli. Il met le maximum de conserves et tout ce qui reste à manger sur une table à roulettes, et revient avec son chargement dans la cabane. Il garde la table à roulettes à côté de lui. Silence. Pam regarde J.-P.

« Tu me donnes une pâte ? murmure-t-elle. Il reste des pâtes ?

– Oui », dit J.-P. qui s'exécute et présente à sa femme une poignée de spaghettis, comme il lui offrirait un bouquet de roses.

Pam croque. J.-P. se recouche. Ils rongent les fins bâtonnets crus et s'endorment, bercés par le mouvement de leurs propres mâchoires.

Septième matin

J.-P. ouvre l'œil. Il ne regarde pas sa montre. Son œil va instinctivement vers le feu qui a encore des braises. Il se lève immédiatement pour y déposer un bibelot en bois et, hors de son nid, il est saisi par le froid, qui lui paraît plus agressif. Sa famille semble être happée par un sommeil profond. Il a la sensation d'avoir dormi depuis une éternité. Il se couvre de sa combinaison de ski, regarde chacun des siens et aperçoit une feuille dans la main pendante de sa femme. Il chevauche délicatement les corps endormis, pour ne pas rompre l'équilibre de leur imbrication, et tire doucement des doigts de Pam la feuille manuscrite. Il va dans la cuisine tout en lisant à l'aide de sa montre-lampe. Il sourit en parcourant les mots écrits à la plume, puis range la lettre dans sa poche. Il veut remplir sa cafetière mécanique, mais il n'y a plus d'eau en bouteille. Très naturellement, il se rend dans le tunnel, découpe un morceau de glace, le fait fondre devant le feu qu'il a ranimé sans bruit et se prépare son petit café. Sa montre indique 9 h 36.

« On s'est endormis tard hier soir ? Oui oui, très tard... Il ne peut pas être si tôt. On a peut-être sauté un jour... » pense J.-P., le skieur sans skis, perdu dans le temps.

Il s'assied près du feu et de toute sa famille, en gardien, et sirote, malgré sa tiédeur, le meilleur café de son existence. Il relit et relit la lettre, puis la glisse dans sa poche. Un long moment passe... J.-P. dévore les flammes pendant une éternité, il est hypnotisé par leur danse chaude et envoûtante, il se sent devenir le feu. Pam se lève d'un bond, se dégageant avec douceur mais prestance de tous les corps, et va vite dans la « salle de bains ». Saisie à son tour par l'air glacé, elle revient et agrippe son manteau de fourrure. Elle sursaute à la vue de J.-P. tapi dans l'ombre, qui la regarde gentiment, sans rien dire.

« Bonjour, dit-elle.

– Bonjour, excuse-moi si je t'ai fait peur, répond-il. Tu as réussi à dormir ?

– Oui, et toi ?

– Oui, à peu près... Tu veux du café ?

– Oui, je veux bien, dit-elle en chaussant des moonboots et en filant vers la "salle de bains". Je reviens. »

Quelques secondes s'écoulent, J.-P. n'a pas bougé. Pam s'assied à l'autre extrémité de la cheminée. J.-P. lui tend une tasse de café presque froid.

« Merci, dit-elle en trempant ses lèvres. Mmm, c'est bon, J.-P. ! »

J.-P. esquisse un sourire.

« Café au feu de bois... dit-il.

– Mmm... » murmure Pam sans quitter le feu des yeux.

Tous deux boivent, immobiles et muets, en regardant la chaleur qui danse pour eux. La qualité du silence a changé. Il insinue avec élégance qu'il est tout autre, moins inquiet et plus caressant que pesant. Il flotte autour des corps au lieu de les faire sombrer. La pièce semble remplie de lumière. Rêvent-ils ? Peut-être. À quoi bon vouloir en être sûr ?

« On dort trop... marmonne Jean-Pierre mollement. C'est pas bon, on a sauté un jour, non ? Il faut se remuer un peu. Manger, boire, et se parler. Parle-moi. »

Pam regarde J.-P.

« De quoi ? dit-elle mollement.

– De tout ce qui te passe par la tête, répond J.-P.

– Ma tête est sur pause...

– Ah... oui... C'est bien aussi.

– Ils vont pas venir avant combien de temps ? demande Pam. On est là depuis quand ? Je sais plus... »

J.-P. la regarde.

« Je pense qu'ils ne savent pas eux-mêmes... J'entendais très mal quand je les ai eus. C'était dingue. On aurait dit la guerre...

– Ah...

– Ils sont dépassés... Mais avec le temps, tout va s'arranger, dit l'homme en s'approchant de sa femme.

– Oui... Si on peut dire. Si le temps le veut bien...

– Si le ciel le veut bien... »

Pam sourit.

« Je n'imaginais pas qu'un jour on puisse en arriver là, dit-elle en frissonnant.

– Là où ? » demande J.-P., lui massant doucement le dos.

Pam reçoit les mains en fermant les yeux, puis les ouvre lentement et balaie du regard la grande pièce sombre jonchée de cartons, des corps de ses enfants emballés dans des couettes, duvets, couvertures de toutes les couleurs, d'objets rangés comme des petits soldats, de jouets en plastique triés par tas, de livres, magazines, train électrique, jeux de société, dessinant une sorte de nid étrange délimité par un mur aux plusieurs bleus et par une entrée-boyau creusée dans la glace, donnant sur une « annexe » qui fait salle de bains ou toilettes quand on le désire.

« Là, dit-elle avec un très léger sourire.

– Bonjour... » dit Mathieu.

Ses parents regardent leur fils, souriant comme un astre.

« Bonjour », répondent-ils en chœur.

Mathieu se lève en trombe et grelotte. Il réalise qu'il a fait pipi dans son pantalon et, très inquiet, il file dans l'igloo-salle de bains pour se cacher. Sa mère lance un coup d'œil à J.-P., attrape la combinaison de ski, une paire de chaussons pris au hasard dans l'étalage d'objets, se couvre d'une écharpe, grelottant malgré le feu, la fourrure, les moon-boots et le café, et va rejoindre son fils. Mathieu, tremblant de froid dans l'igloo, tente d'enlever son pantalon collant. Ses fesses sont à même la glace, il doit d'abord retirer ses chaussettes et n'a rien pour se changer. Il panique et pleure de toute sa honte.

« Tiens, Mathieu. Mets ça ! Je regarde pas ! C'est pas grave, c'est pas la peine de pleurer... C'est rien... Allez... Mets la combinaison, papa a raison, on va tous se mettre en combi maintenant, comme ça au moins on sera protégés. C'est le froid qui t'a fait t'oublier. C'est rien... »

Le petit se rhabille vite, soudain rassuré par les mots de sa mère accroupie qui met en boule le linge mouillé. La combinaison est zippée jusqu'en haut, les chaussettes et les chaussons enfilés. Pam regarde son fils, qui sèche ses larmes d'un pudique geste de la main. Mathieu la fixe soudain, droit dans les yeux, ouvre ses bras et les referme violemment autour du cou de sa mère, étouffée. Il serre de toutes ses forces. Pam reste immobile, bloquée, puis, acceptant ce câlin, étreint son fils.

Pam revient avec Mathieu et remarque ce que fait son mari, mais ne dit rien : J.-P., recouché, continue sa lecture des lettres de sa femme « Gisèle ».

« C'est vrai que c'est pas plus mal de se recoucher... En attendant que ça se réchauffe un peu... dit-elle.

– Avec le feu, ça va aller mieux... chuchote Mathieu en s'allongeant près de sa mère. Tu veux que je te lise une histoire ? »

Pam rit tout bas pour ne pas réveiller ses autres enfants.

« Euh... Toi ? Oui... Si tu veux... Oui... »

Mathieu sort un petit papier caché sous son oreiller et lit à sa mère :

« "Un vieillard qui meurt, c'est comme une bibliothèque qui brûle". »

Pam regarde son fils.

« C'est ça ton histoire ? C'est pas très gai... Enfin, c'est beau, mais c'est court...

– Non, c'est pas l'histoire, c'est une phrase, et moi je dois raconter l'histoire que ça me fait penser.

– L'histoire à laquelle ça me fait penser...

– Oui... l'histoire à laquelle ça me fait penser.

– D'accord, je t'écoute.

– Oui, mais c'est quoi une bibliothèque ?

– C'est un endroit où il y a beaucoup de livres et où on va lire...

– Ah... Mais pourquoi elle brûle quand le vieux monsieur il meurt ?

– C'est une image... C'est parce qu'un vieux monsieur ou une vieille dame, c'est comme un trésor rempli de livres...

– Comme papi quand on allait le voir et qu'il cachait des trésors dans le jardin ?

– Oui... Comme papi, dit Pam. Mais papi avait des petits problèmes parce qu'il oubliait des choses et il cachait des trésors qui n'étaient pas à lui.

– Mais, il était comme un trésor quand même ?

– Oui...

– Comme une bibliothèque...

– Oui... Il savait plein plein de choses avant de mourir.

– La bibliothèque c'est une vieille personne alors... Et une vieille personne elle connaît tellement de choses, elle a vécu tant d'histoires, qu'elle est comme remplie de livres.

– Oui... C'est ça. Parce que vivre longtemps, c'est...

– Comme un arbre... dit le petit.

– ... Euh... Oui. Comme un arbre, acquiesce Pam avec un sourire voilé.

– C'est Mirette, elle m'avait dit que, quand on devient vieux, on est comme un arbre qui s'enracine, et c'est pour ça qu'il y a des vieux qui bougent plus...

– Ah... Sûrement... »

Pam regarde son fils, ses paupières sont lourdes. Les deux conteurs continuent à mélanger leurs mots, leurs idées, leurs souvenirs, et s'endorment, bercés par le flot de leurs paroles, devenues espacées et trop douces avec le sommeil et l'engourdissement. Mathieu ouvre les yeux. Il regarde autour de lui, lové dans les bras de sa mère. Il sourit et se rendort.

Un temps indéfinissable s'écoule. Le petit garçon ouvre les yeux et, envahi par une sorte de doute étrange, d'inquiétude dérangeante, il veut réveiller ses parents, car il sent qu'ils dorment depuis trop longtemps. Tout le monde dort trop longtemps. Mirette a toujours dit qu'il fallait bouger ses fesses pour avancer dans la vie, mettre un pied devant l'autre, avoir des rêves, se parler, s'écouter. Il faut mettre tout cela à exécution. Il marche autour du groupe, de toute sa famille réunie et endormie, il gigote avec des mouvements larges et volontairement brusques pour que quelqu'un se réveille. Sa mère est la première.

« J'ai faim, dit-elle, pas toi ? »

Mathieu va chercher des biscuits dans la cuisine et les lui rapporte.

« T'as pas froid ? Viens, dit Pam en attrapant son fils contre elle. Mmm, tu me réchauffes... Tu es une vraie bouillotte. Qui veut une bouillotte ? »

Mathieu, tout content, renchérit et lève un peu la voix pour que tous émergent du sommeil.

« Qui veut une bouillotte ? C'est pas cher et très efficace ! Une bonne bouillotte humaine, m'sieurs dames ? »

Vanessa ouvre un œil, puis Sam, J.-P. tente un réveil, mais il fait si froid hors de l'amas de duvets et de couvertures que tous rentrent dans leur coquille. Seul Mathieu frotte les mains de sa mère, puis ses pieds.

« Mmm, la bouillotte fait des massages, en plus ! » dit-elle en riant faiblement.

Le petit, déchaîné, se met à chatouiller les pieds de sa mère, qui se tortille :

« Ah non, pas ça ! Ah noooonn, Mathieu arrête ! »

Elle rit et se contorsionne avec son fils qui la chatouille de plus en plus et partout où il peut, fou de découvrir sa mère comme ça. J.-P. est gagné par le rire de sa femme et émerge, la tête ébouriffée apparaissant hors de son terrier d'étoffes.

« J'en veux, moi aussi, du chauffage-massage ! »

Mathieu lâche sa mère d'un seul coup et se précipite sur son père. C'est un feu d'artifice de vers de terre humains qui se tortillent les uns contre les autres, contaminés par le ver miniature qui les pique de ses chatouilles réchauffantes. À bout de souffle, les victimes demandent grâce, et l'agitateur, épuisé, rouge flamboyant lui aussi, très réchauffé, interrompt le supplice. Tout le monde s'apaise, et comme pour accompagner le calme revenu, la bougie s'éteint.

Mathieu va vite en chercher une autre et découvre qu'il n'y en a plus dans la boîte qui en était remplie. Inquiet, il fouille dans la cuisine, puis dans le garage, et revient bredouille.

« T'inquiète pas, on a les lampes torches... » dit J.-P.

Mathieu se replonge dans son nid.

Tous les visages ont encore le sourire accroché aux lèvres. Des petits cris d'excitation surgissent de temps en temps. Le sommeil enveloppe à nouveau les corps et les esprits.

« RRRRRR... RRRHaaaaaaa !... grogne Mathieu imitant des ronflements.

– Rhhhhh... mmmmm... blblblblblblblbl, enchaîne son frère.

– RRRaaaaaaahhhhhhhhwouabrrrrrrrrr ! renchérit Vanessa.

– Ha ha ha ha ha ha ha ha ! continue Mathieu, se forçant à rire fort.

– Haha, ha-ha-ha-ha-ha-hahahaaaa !!! HAAAA ! » crie Sam, articulant largement pour que les « ha » aient toute leur puissance.

Pam ouvre l'œil, plutôt morne, et regarde ses enfants, alors que J.-P. ronfle.

« Haha hahahahaha !!! HAAAAA ! HA ! HA ! crient Mathieu et Sam en même temps.

– AEIOUAEIOU AAAA EU IIIIOOOO UUUUU ! » enchaîne Vanessa en secouant sa bouche comme un cheval qui hennit ou qui chasse une mouche.

Pam suit le mouvement :

« HHAAAAAAA ! HAAAAA RFF EFFF PFFFF !

– HA HA HA HA HA HA HA !!!!! » crient les animaux tous en chœur.

Réchauffés, les uns après les autres, ils se lèvent et vont se découper des morceaux de glace qu'ils mettent dans des bols et arrosent de sirop. Puis ils reviennent près de leurs nids d'étoffes, en scandant des « HHHHAAAAARRRRR ! » Tels des estivants en maillot de bain se dorant sur une plage, ils sirotent leurs esquimaux improvisés. Mais le froid regagne leurs corps doucement, et la sieste s'impose après dégustation des bonbons glacés.

Souffle

L'amoncellement d'objets répartis autour d'eux a beaucoup diminué, tout ce qui pouvait être brûlé a disparu. Le feu dort comme les corps. Les lampes électriques sont les seules gardiennes lumineuses du campement. Tous sont blottis les uns contre les autres pour se réchauffer, pour ne former qu'un seul corps, maintenant habitués à s'imbriquer les uns dans les autres.

« Mmm... Cool... Qui est-ce qui me souffle dessus ? murmure Vanessa en souriant les yeux clos.

– Moi, dit Mathieu.

– C'est de la bombe.

– Tu me donnes quoi si je continue ? demande le petit, fier de sa trouvaille.

– Je sais pas... Je te le fais en mieux.

– Ohhh... » souffle Mathieu sur les pieds de sa sœur.

Il inspire à grandes bouffées et expire en mettant dans l'air qu'il fabrique toute la chaleur possible. Mathieu, dragon, crache son feu sur sa sœur et se réchauffe par la même occasion. Vanessa, rechargée et joueuse, se glisse pour arriver au niveau des pieds de son frère et fait la même chose, mais Mathieu se tortille, trop chatouilleux.

« Nooonn ! Non ! Arrête, Vanessa ! »

Les chatouilles reprennent, pendant que Pam, dont le visage n'est pas loin des pieds de J.-P. qui dort, souffle doucement et de loin, pudique, pour ne pas être démasquée.

« J'ai une crampe... geint Vanessa.

– Moi aussi, dit J.-P. On devrait bouger...

– Il fait trop froid », marmonne Pam.

Mathieu se met à masser sa sœur vigoureusement. Il la tapote et la frictionne.

« Oh putain, génial, il faudra vraiment que tu sois masseuse, plus tard... »

Mathieu se dandine, imitant une masseuse imaginaire et redoublant d'énergie. Les trois enfants illuminent la pièce de leurs rires qui carillonnent dans le vide comme des étoiles explosent dans l'univers. Pam suit son fils, instinctivement, et masse Sam. Puis, comme au bal, les partenaires tournent et celui qui massait se fait masser. Il y a les donneurs et les receveurs. Chacun concentre tout ce qui lui reste dans les mains pour le transmettre à l'autre. Samuel attire son petit frère à lui par les pieds et le frictionne. Jean-Pierre se frotte les pieds, les bras. Puis, en regardant son fils aîné, il le masse, pendant que lui-même masse sa mère, et que Mathieu, tout content, pétrit le corps de son grand frère avec son père. Ils forment une boule, tous collés les uns aux autres, et se soufflent dessus, se malaxent en ricanant bêtement.

C'est bizarre à voir, on ne sait plus à qui est telle main, tel pied, et ces corps deviennent un seul être, qui se réchauffe de tous ses membres. Par jeu et pour que le feu intérieur soit plus fort, ils se tapotent et se tambourinent les uns sur les autres pour activer la circulation. Les corps réchauffés deviennent une immense percussion sourde, amortie par les étoffes en plume ou laine. Une percussion humaine.

Un autre jour

Au travers du gris perle de la grotte creusée dans l'entrée, alternent des nuances claires ou foncées, selon le jour ou la nuit qui semble filtrer à travers la neige, d'aussi loin que s'il s'agissait d'une autre planète, éloignée à des milliards de kilomètres.

Ces vagues d'intensité lumineuse qui se succèdent servent de repère à Mathieu, qui dort moins que les autres. Contrairement au reste de la famille, dès qu'il a les yeux ouverts, il s'extirpe du nid et descend dans la cave pour creuser. C'est sa mission. Il se sent le guerrier qui va sauver les siens. La grande pièce sombre anciennement appelée « living » semble avoir enseveli dans un sommeil sans fin la petite famille, qui ne se déplace plus beaucoup. Puis il remonte de la cave et se recouche près des siens, inquiet de les laisser trop longtemps.

Pam se réveille en sursaut, regarde autour d'elle et se force à respirer. Elle n'arrive pas vraiment à s'apaiser et se lève, cherchant de l'alcool, mais il n'y en a plus. Elle a soudain l'air gelée et perdue. J.-P. la regarde sans qu'elle ne le remarque.

Titubante, elle s'avance dans la pénombre comme une vieille dame engourdie, sans force, autour de la cabane. La lampe torche qu'elle tient mollement dans sa main pendante éclaire ses pieds. Les cheveux en bataille, couverte de plusieurs épaisseurs de laine et duvets empilés sur son dos, elle se traîne vers l'escalier. En le montant, le faisceau de sa lampe illumine l'effondrement d'une partie de l'étage et coupe le souffle de la femme épuisée. Elle regarde la chose, mélange de rocher et de glace, qui a déchiré le toit. Assommée par la vue dont elle se demande dans son cerveau endormi si c'est une réalité ou une vision, elle s'enfonce dans le couloir, vers sa chambre, et entre dans son ancienne salle de bains. La pièce est figée sous une fine couche de glace et semble morte.

Elle avance péniblement, cherchant comme une clocharde égarée. Sa lampe de poche éclaire une armoire à pharmacie qu'elle ouvre. Des médicaments sont rangés comme dans une vitrine. Pam les fixe de son rayon de lumière et braque soudain la lumière blanche sur son visage. Elle observe son reflet, impassible, les yeux hagards, puis repositionne son faisceau sur les cachets qu'elle prend dans sa main. La silhouette de J.-P. se dessine dans l'encadrure de la porte.

« Qu'est-ce que tu fais ?

– J'ai eu peur, dit-elle.

– Pardon...

– Tu peux recommencer ?

– Quoi ?...

– Fais-moi peur... Ça me réchauffe... »

J.-P. disparaît et réapparaît en faisant un « hou ! » peu convaincant, comme un petit vieux qui n'a plus de force. Pam le regarde fixement. Ils sont vidés tous les deux, immobiles.

« Tu ne peux pas nous abandonner comme ça... dit-il.

– Je sais que je ne peux pas... Je voudrais juste dormir sans cauchemar...

– Il faut être patient, rester ensemble. Les secours vont venir.

– Ah... Oui... Je ne sais pas... On est devenus... On dirait qu'on est déjà ailleurs... Non ? Partis ailleurs... Tu comprends ce qui se passe, toi ?

– Y a rien à comprendre. Il faut juste attendre...

– Tu sais, toi, ce qu'il faut faire ? Ce que tu voudrais ?

– Je cherche. Je trouve pas. Je suis obsédé... Par ça...

– Quoi ?

– Trouver une solution pour qu'on se sorte de là... répond J.-P.

– Ah oui... Oh... Pff... On est quel jour ? demande Pam.

– Je sais pas... Ça marque le 21. Mais je ne sais plus depuis combien de temps on est bloqués...

– Moi non plus... » observe Pam en grelottant de froid et d'épuisement.

J.-P. pose une de ses couvertures sur son dos.

Il l'entoure avec ses bras et la frotte à travers toutes les épaisseurs qu'elle a sur elle.

« Il faut que tu bouges ! Saute ! Saute ! Allez ! »

Pam sautille sur place sans opposer aucune résistance.

« Saute plus haut, fais comme moi, saute vraiment ! Remue-toi... Allez ! » dit l'homme en se battant contre le vide et le froid.

Elle tente de l'imiter, maladroitement, en accélérant sa cadence. Ils se retrouvent face à face et se boxent mutuellement, ça les fait tousser. Ils tournent comme deux petits vieux sur un ring imaginaire, très vite essoufflés.

« Vas-y ! Vas-y ! Allez, continue ! Tape-moi ! Allez, tape ! »

Pam frappe J.-P. qui lui aussi donne des coups en les amortissant pour ne pas blesser sa femme. Elle s'arrête, tombe dans les bras de l'homme, comme un boxeur K.-O. Les deux visages sont l'un contre l'autre, fumants d'air chaud et opaque, dans l'air froid. Ils reprennent leur souffle, mêlant la buée qui sort d'eux. Puis se regardent. Ils s'approchent comme deux animaux, tombent dans les bras l'un de l'autre, s'abandonnant soudain, puis chutent dans la baignoire. Ils se serrent et ne bougent plus. Immobiles quelques secondes, quelques minutes, quelques heures...

« Jean-Pierre...

– Oui...

– Je suis sale.

– Moi aussi...

– Je suis affreuse.

– Moi aussi.

– Jean-Pierre ?

– Oui ?

– On se laisse aller uniquement parce que...

– Oui... Chut...

– Il ne faut absolument pas que les enfants l'apprennent...

– Non... Chut... »

Les deux êtres se serrent comme s'ils se transmettaient un regain d'énergie. Soudain, ils s'immobilisent, épuisés, imbriqués l'un dans l'autre. Leurs souffles comprimés les réchauffent mutuellement.

« Pourquoi on s'aime plus... ? marmonne Pam, le visage écrasé contre les pulls de son amant de mari.

– Chut...

– On le sait… On sait qu'on s'aime plus, continue la femme, on est plus amoureux… Pourquoi… Hein… ? Tu sais… toi ?… Dis-moi… s'il te pl… »

Pam se laisse glisser le long du toboggan sablonneux du sommeil et s'écroule dans ses mots, qui continuent d'être prononcés alors que son esprit épuisé lâche la rive et flotte dans les eaux troubles de la torpeur.

« On le sait… Pourquoi on… s'ai… pl… »

Jean-Pierre a toujours les yeux ouverts. Il sent, contre sa main froide, une mèche des cheveux de sa femme lui chatouiller les doigts. Il attrape délicatement le bouquet blond et frisé entre son pouce et son index, et le caresse en secret. La douceur des cheveux le renvoie à une plage où il était avec elle, il y a longtemps. Ils dormaient à la belle étoile et la chaleur de leurs deux corps nus brûlait le sable rafraîchi par la nuit. Il se souvient de chaque battement de cœur de sa blonde qu'il écrasait contre lui, inquiet qu'elle ne s'envole pendant son sommeil, et il n'avait pas fermé l'œil jusqu'à l'aube. Avant de s'endormir, ils avaient parlé de leurs projets de voyage, ils ne feraient que ça, toute leur vie, aller d'un pays à un autre, en vivant de musique et de peinture, puisqu'elle jouait du piano. S'il n'y avait pas de piano, elle trouverait une autre activité, l'important c'était d'être ensemble, libres, de créer et de réaliser leurs rêves.

J.-P. flotte dans ses songes et se sent imperceptiblement serrer Pam comme il le faisait autrefois, sans vraiment contrôler ses gestes. Il la sent contre lui comme il y a vingt ans, ou trente, et le reste n'est plus là, à cet instant précis. Le reste est absent. Leurs deux corps sont bien présents, eux, lourds, dans la baignoire de luxe étroite et détournée de son rôle principal. Elle devient une couche royale, un lit où deux corps sont obligés de s'imbriquer l'un dans l'autre pour tenir dans ce petit volume. Une sorte de hamac rigide, sans mouvement. J.-P. bâille et sourit. Il sent une chaleur suave et envoûtante monter de ses entrailles. À cette seconde, l'homme retrouve ses forces, sa jeunesse, dans un immense *rewind*. Il redevient celui « d'avant », tout est possible, et soudain il a très envie de sa femme. Il doit retenir ses ardeurs et s'en prend à la mèche blonde qui s'enroule, docile et maîtrisée, autour des doigts du dompteur.

Mais le fin bouquet de cheveux bouclés ne réussit pas à apaiser l'homme dont le désir monte comme un feu qui brave le vent de la raison. L'homme serre doucement le corps assoupi, comme un murmure de bras qui va à tâtons et avance lentement sur un terrain inconnu. Il ne veut pas la réveiller, juste l'étreindre un peu, sentir un petit bout de sa peau. Sa tête est grise, tourmentée, envahie d'une tempête sourde et trouble, où des vagues géantes s'entrechoquent, des houles s'affrontent et tourbillonnent, des pensées désordonnées galopent sur des dragons diaboliques, dans des dunes de sable brûlant projeté par rafales dans la nuit décorée de guirlandes d'étoiles. La chaleur monte dans le corps du mari agité, il transpire sous ses nombreux vêtements. Sa main a réussi à se frayer un chemin en dégageant doucement le manteau qui recouvrait deux ou trois épaisseurs de laine fine et douce superposées sur le corps de sa femme.

Il sent soudain la peau et frémit lorsque son doigt l'effleure. Elle est humide et chaude. J.-P. se dresse, farouche, avec une contenance qui accroît son besoin et son goût de cette femme qui est la sienne, abandonnée au sommeil. Une tempête de contradictions l'envahit. Tous ses membres semblent s'être donné le mot et n'ont qu'un seul projet, assaillir l'être collé, le corps offert malgré lui. Sa main caresse le morceau de peau libéré des étoffes, d'un mouvement de va-et-vient, comme deux êtres feraient l'amour. La petite parcelle de chair semble exhaler de bonheur, jouissant des caresses incessantes de cette main qui la pénètre littéralement, perdant tout contrôle, qui remonte le long du reste de la peau ensevelie, puis redescend, repart par vagues dans un sens puis un autre, prend, pétrit, reste, effleure, appuie, serre, relâche.

Devenue folle, elle ne peut plus s'arrêter, perdue dans le pays du corps. La paume déchaînée s'aventure partout où elle peut, dégage son chemin, arrache certains obstacles, cherche le ventre, les seins, le cou, et entraîne l'époux dans une folie sensuelle irrésistible. L'homme ne réalise pas que sa femme est réveillée, engourdie et absente d'elle-même. Elle semble geindre, pleurer peut-être, se réjouir, il ne sait pas, elle ne sait pas, ils sont projetés dans la frénésie de leurs corps qui ne leur obéissent plus. Les mains chaudes de l'homme épousent les formes ensevelies de la femme qui s'offrent comme des bulbes assoiffés et saillants, réclamant une attention pénétrante, une pression, une caresse. Le feu consume les deux êtres comme s'ils brûlaient vifs et de la fumée s'échappe de leurs corps. Les bouches se prennent, les mains s'étreignent, arrachent encore les obstacles d'étoffes, les voix gémissent sourdement, crient, étouffées, halètent, respirent. L'homme prend sa femme.

Mathieu, réveillé par le froid du living, regarde autour de lui et remarque l'absence de sa mère. Elle n'est pas avec Vanessa. Sam et son père manquent. Il se lève et, pris de panique, se cogne partout en cherchant ses parents et son frère. Il couvre Vanessa de sa couette. Tremblant, il commence par le garage.

« Papa ! Maman ! »

Il repasse par le dortoir, prend un fond de bougie qu'il allume, va dans la cuisine, mais ne trouve personne. Affolé, il monte les escaliers et marche dans le couloir où les portes, d'habitude fermées à clé, sont béantes comme dans une maison abandonnée. Pas de lumière, pas de vie, seule la frêle flamme dorée danse dans la pénombre grise. La porte de la salle de bains est fermée. Mathieu se dirige vers l'obstacle, instinctivement, et l'ouvre doucement. Peut-être que sa mère va crier, toute nue dans un bain glacé, peut-être qu'il s'est passé quelque chose d'horrible. L'enfant sent son cœur qui se débat dans son ventre noué. Tout se mélange. Mirette ne chante plus. Les placards de la salle de bains brillent dans la pénombre.

Une touffe de cheveux frisés blonds dépasse de la baignoire. Mathieu a un sursaut de peur et croit que sa mère est morte. Un cri étouffé s'échappe de son petit corps tremblant ; il s'approche ; les yeux de la femme sont fermés, elle ne bouge pas. Mathieu reste paralysé devant cette image impossible ; qu'est-ce que sa mère fait là ? Pourquoi est-elle venue dormir dans le froid, loin de tout le monde ? Pourquoi est-elle morte comme ça d'un seul coup ? Il doit faire un cauchemar. Des larmes lourdes et lentes glissent sur le visage de l'enfant, libérant l'angoisse et l'incompréhension. Mathieu, figé, regarde sa mère éteinte. La bougie continue sa danse solitaire et frémit parfois plus ardemment. Au bout de quelques siècles de secondes, Mathieu sent du vent, un léger courant d'air quelque part. La bougie vacille régulièrement. Il se déplace lentement, transi par la vision terrible à laquelle il ne s'habitue pas, et approche la bougie du visage de sa mère pour mieux la voir. Ses larmes tombent sur le corps inerte. La flamme se penche décidément, et Mathieu comprend en une étincelle. Il sent le souffle chaud de sa maman et ses larmes redoublent. Il sourit, perdu dans l'océan de ses émotions mêlées. Il contient toutes les tempêtes, toutes les joies, tous les bonheurs et toutes les peurs, et les nœuds s'épaississent, grossissent dans le petit corps. Pam, sans doute réchauffée subitement par la flamme, se réveille dans un sursaut mou.

« Hmmmm... Tu as bien dormi... Hein ? Pourquoi tu pleures ? Qu'est-ce qui se passe ? Il y a quelque chose qui ne va pas ? Dis-moi... Dis-moi ! Mathieu ! Qu'est-ce qu'il y a ? »

Le petit regarde sa mère qui n'est pas morte, elle lui parle. Elle ressemble à une poupée en chiffon de Vanessa quand elle était petite.

« Mais on n'a pas le droit de dormir autre part ! hurle-t-il. Pourquoi t'es dans la baignoire ? On peut pas aller dormir ailleurs qu'au campement ! On a pas le droit parce qu'il fait trop froid, et quand on est pas ensemble on a froid, il faut qu'on reste ensemble, et moi j'ai fait des cauchemars ! »

La main de Pam sort du réceptacle de la baignoire, tendue et pendante sur le bord. « Viens », semble-t-elle dire. Mathieu regarde les doigts qui l'invitent.

« Viens », dit Pam.

Mathieu fixe cette chose baguée qui appartient au corps de sa mère. Il s'en souvient lorsqu'elle était brandie avec colère, voulant frapper, ou lorsqu'elle pointait son doigt vers lui pour le menacer, ou encore tenant inlassablement son téléphone, mais ouverte, comme ça, douce et offerte, il n'est pas habitué. Il la toise et la prend finalement dans sa main. Pam attire alors son fils et le fait basculer par-dessus le bord de la baignoire. Il tombe sur elle et rigole dans ses larmes et sa morve. Sa mère ouvre son manteau et emprisonne son fils à l'intérieur. Leurs deux têtes apparaissent hors de la fourrure. Mathieu sourit et ne bouge plus. Il s'essuie le nez d'une main.

« Tout va bien en bas ? demande-t-elle mollement.

– Oui, Vanessa dort.

– Ah.

– Et papa et Sam, ils sont où ? interroge Mathieu.

– Ils doivent creuser quelque part, arrête de t'inquiéter comme ça, dit Pam.

– Faudrait les aider, quand même.

– Oui. On ira... Réchauffe-toi cinq minutes et après on va les aider, d'accord ?

– D'accord », dit Mathieu en fermant les yeux et sans pouvoir empêcher des restes de larmes de traverser ses paupières serrées pourtant très fort.

Il ne sait pas pourquoi il pleure comme ça. Un flot d'images se déclenche, il se revoit bébé, puis il sent les gifles de sa mère, il entend leur bruit, il est dans les bras de Mirette qui le console, elle lui manque, il sent sa chaleur, mais ce n'est pas Mirette, là, tout de suite, c'est Pam, c'est l'autre, la nouvelle, celle qu'il découvre, celle qui a les cheveux qui changent, celle qui ne parle plus au téléphone, celle qui reste là, qui discute maintenant avec lui, qui le serre contre elle.

Mathieu se sent si lourd, si heureux et triste en même temps, son petit corps est secoué de froid ou d'émotion contre celui de sa mère qui le berce, sans même se rendre compte de ce qu'elle fait, parce qu'elle est encore endormie et de plus en plus fatiguée, elle aussi. Le petit s'apaise doucement, il se laisse emporter par le roulis des vagues que fait Pam, sa mam, qui le fait tanguer, il est sur l'eau, sous l'eau, il vole, il est dans son berceau qui flottait lui aussi, qui le balançait, comme un bateau en coton, chaud et doux, un nid aquatique. Le petit ronronne dans sa mère-coussin qui dort. Tous les deux se laissent aspirer par le sommeil et se noient avec délice dans le souffle et la chaleur de leurs corps paisibles.

Percée

Tout est blanc. C'est brutal, tant de lumière d'un seul coup. Il neige abondamment et le vent hurle. Deux formes à peine distinctes émergent de la surface lisse et vierge, et avancent péniblement, noyées dans la blancheur infinie, irréelle. Deux corps aux allures de cosmonautes tentent de se frayer un passage dans cette immensité. Ils marchent au ralenti, comme dans l'espace. J.-P. et Samuel, recouverts de sacs-poubelle, saucissonnés sur leurs couches de vêtements chauds, avancent dans la neige. Ils sont ficelés comme des rôtis, portant chacun un casque intégral de motard, par-dessus une sorte de passe-montagne qui les isole au mieux du froid. Les sacs-poubelle leur permettent de glisser parfois sur la glace ou de mieux avancer dans la profondeur de la neige. Ils sont épuisés. Samuel chante « On s'aimera », « Proud Mary », les paroles se mélangent. Il force son père à faire comme lui. Leurs voix résonnent dans le désert blanc.

J.-P a du mal à respirer. Samuel le pousse pour l'aider à avancer en le faisant glisser. C'est interminable, toujours blanc et plus blanc encore. La neige qui monte jusqu'à leurs hanches leur apparaît comme un courant féroce contre lequel ils doivent lutter. Elle est partout, semble là depuis toujours et pour toujours. Dessus, dessous, opaque rideau qui brouille la vision du ciel dont on ne sait plus où il commence, tant les flocons sont épais. Cet océan blanc les imprègne comme une glu glacée qui durcit au fur et à mesure qu'ils la fendent. Les boules blanches fouettent l'air avec tant de violence qu'elles les forcent à garder leurs casques fermés, sinon ils ne pourront rien voir, cinglés par les projectiles tranchants.

« Haaaaaaaaaaaaaa ! hurle Samuel contre le ciel. Hurle ! Ça réchauffe ! » crie-t-il à son père.

J.-P. tousse, il a du mal à reprendre son souffle. Son fils essaie de l'aider, de le calmer, il ouvre les visières, agressé par les grêlons. Il colle son casque contre celui de son père, pour faire écran, et souffle de l'air chaud sur son visage. Mais J.-P. s'écroule. Sam est entraîné par sa chute et tous les deux disparaissent dans la masse neigeuse. Le grand enfant se redresse et tire le grand corps de son père pour l'asseoir, puis recommence la même opération. Il tient son père face à lui, le torse droit, l'agrippe par le cou, colle à nouveau son casque contre le sien et souffle sur son visage pour le réanimer.

« Papa ! Hé, le daron ! Papa ! Merde, allez, putain ! Me lâche pas… Je peux pas te laisser là !… Hé !… »

Il regarde vers le ciel.

« Saloperie de neige ! Putain de ciel ! hurle-t-il vers l'infini blanc. Papaaaaaaaaa ! »

Son cri résonne dans l'immensité immaculée, immuable, éternelle et feutrée. Samuel regarde autour de lui du mieux qu'il peut, mais ne voit rien que du blanc. Sans savoir où il va, il traîne le corps de son père, après avoir baissé la visière du casque.

Dedans

« Qu'est-ce qui se passe ? » demande Pam, réveillée en sursaut par le bruit aigu de quelque chose qu'on arrache.

Elle s'extirpe du nid douillet de la baignoire. Son petit se blottit dans ses bras. Sa mère l'entraîne par la main et ils sortent en courant vers la source du bruit effrayant. Un violent courant d'air blanc et poudreux s'engouffre dans le couloir. Il neige dans la maison. Le flot blanc et glacé vient du bureau de J.-P. La mère et son fils se précipitent sur la porte et tentent de la fermer, ne comprenant pas. Ils arrivent à se protéger avec l'obstacle enfin clos, que Pam ferme à clé.

« J.-P. ! Sam ! Il y a de la neige qui rentre dans la maison ! » crie-t-elle, paniquée, en descendant l'escalier vers le living.

Fronçant les yeux, car elle ne distingue pas grand-chose, elle s'approche du nid où les tas de vêtements et de couvertures se confondent les uns les autres. Vanessa est seule dans le grand dortoir.

« Où ils sont ? demande Mathieu, perdu.

– J.-P. ! Sam ! » hurle Pam, réveillant sa fille.

Mathieu perce l'obscurité qui lui est familière, et fonce dans la cuisine puis vers le débarras pour se précipiter en tombant dans l'escalier vers la caverne, au sous-sol. Il n'y a personne.

« Maman ! crie-t-il en remontant quatre à quatre. Ils sont partis par le bureau de papa et ils sont allés chercher des gens pour nous sortir ! C'est ça qu'ils ont fait ! Maman !

– Oui oui... C'est sûrement ça. Bien sûr que c'est ça... Je suis bête... On est idiots de s'affoler comme ça. Allez, viens... » dit la mère, sonnée, s'interrogeant sur l'état de sa fille replongée si vite dans son sommeil.

Elle la frictionne par-dessus les couvertures.

« Vanessa ? Vanessa... Ça va ? T'as pas trop froid ?

– Hmm... » marmonne la jeune fille sans bouger.

Pam et Mathieu s'installent autour d'elle et soufflent, malaxent les couvertures, s'agitent comme ils peuvent pour ne pas se laisser gagner par l'immobilité dangereuse. Ils se sourient.

« C'est bien... C'est gentil qu'ils soient partis dans la tempête, dit Mathieu.

– Oui, oui, oui... C'est très gentil... C'est courageux. Ils vont rencontrer les sauveteurs et revenir nous chercher... dit Pam en serrant fébrilement son fils et sa fille dans ses bras. On se raconte des histoires ? Allez... À toi, Mathieu... »

Dehors

La tempête est foudroyante. La nuit glacée transperce Samuel qui avance de moins en moins et a de plus en plus de mal à déplacer le poids de son père. Il fait une halte et s'assied à côté de lui, l'allonge dans la neige, entrouvre légèrement la visière et se serre contre le grand corps en le protégeant comme il peut, le couvrant presque du sien.

« Cinq minutes, dit-il en haletant. Je récupère cinq minutes... OK ? » dit Samuel en s'écroulant de fatigue.

Il ferme les yeux et se laisse emporter dans une vague d'épuisement contre laquelle il ne peut pas résister. Il voudrait ouvrir les yeux, mais c'est un effort surhumain. Ses paupières semblent scellées l'une à l'autre. Le grand enfant est vampirisé par un sommeil profond et inévitable dans son nid de neige qui se referme doucement sur le tas humain.

La valse déchaînée des flocons ensevelit les deux formes, puis, comme frappé par une baguette magique, le vent se calme. Il souffle dans un murmure, se tait. Les flocons se font rares, puis s'absentent de la nuit, lui rendant sa noire virginité.

Le jour éclate sur le manteau blanc. Pas un bruit ne vient interrompre le feutre de ce matin apaisant. La colère du ciel semble enfin terminée. Le calme fait place aux souffles enragés, aux cris du ciel, aux violences du vent. La lumière irradie.

Une forme noire fend le manteau blanc et vierge. C'est un petit animal qui se promène seul dans le paysage dévasté et purifié. Il se heurte à un obstacle inattendu et, affamé, il commence à ronger cette chose qui ressemble à une racine, une plante ou un tronc d'arbre.

« Ahhh ! » hurle Sam en se tenant la jambe et en jaillissant du tapis immaculé.

Il a bondi comme un ressort. Son torse dépasse de la masse neigeuse, et ses yeux sont surpris par la lumière blanche et violente du soleil. Il hurle de douleur en se protégeant de ses mains et tente à nouveau de regarder autour de lui. C'est un désert crémeux.

« Oh là là... »

Il lève les yeux et voit enfin du bleu. Le ciel revenu éclate. Samuel sourit et des larmes jaillissent. Il rit, il ne peut plus s'arrêter de rire et de pleurer. Il scrute l'horizon et il lui semble apercevoir le toit de la maison, mais sa vue se brouille. Il regarde son père et le secoue.

« Papa, il neige plus ! Papa regarde, il neige plus ! Papa ! C'est fini ! »

Samuel crie et rit de tous ses poumons en secouant son père, qui reste inerte. Il le tape, lui enlève son casque. J.-P. a le visage très pâle.

« Hé ! Papa... Papa ! »

Il le secoue encore, puis lui ouvre la bouche et colle son visage à celui de son père pour sentir s'il respire ou pas. Il regarde tout autour de lui en hurlant.

« Au secours ! »

Puis il traîne le grand homme en marchant dans la neige comme il peut, le tenant fermement dans ses bras, assis dans l'étendue blanche. Il se laisse entraîner dans une pente qu'il sent sous ses pieds. Ils chutent à toute allure, l'inclinaison du terrain étant de plus en plus forte, et ils arrivent à une dénivellation où Sam ne peut plus contrôler sa vitesse. Il ferme les yeux, comprimant son père contre lui, et se laisse aller :

« Haaaaaaaaa ! »

Dans l'immensité blanche, la boule humaine fait une chute vertigineuse, jusqu'à se projeter sur une surface verglacée et percuter quelque chose, dans un fracas retentissant.

Dedans

« Bonjour madame, vous allez bien ? – Oui, et vous ? – Alors, quoi de neuf aujourd'hui ? – Eh bien, je voudrais que vous me fassiez une belle coiffure, s'il vous plaît... Avec des nattes... »

Pam, Vanessa et Mathieu jouent à la poupée. Tous les trois n'ont pas bougé. Pam coiffe sa fille qui elle-même fait une natte sur une vieille Barbie à tête géante, aidée de son petit frère. Elles sont retombées toutes deux dans une enfance nébuleuse.

« Écoutez, dit Pam mollement, j'ai entendu des gens, non ? »

Mathieu la regarde et sourit, blotti dans ses bras.

« C'est Mirette... Elle me parle quelquefois », dit-il.

Pam regarde son fils en souriant.

« Ah bon ? Mirette te parle ? Et comment elle te parle ?

– Ben, comme toi... Elle vient dans mon oreille et elle parle.

– Ah, dit Pam.

– Ah oui, moi aussi j'ai entendu... Non, c'est pas Mirette, ça... Ça doit être les sauveteurs. Hein ? T'inquiète pas, maman, ça doit être eux. Il faudrait que j'aille creuser en bas...

– Reste un peu... dit Pam à son fils qui se laisse influencer sans résistance.

– Moi, ça me dérange pas quand on va mourir, dit-il.

– Quoi ?

– J'aime bien quand on va mourir. Moi, je trouve que c'est mieux quand on va mourir que quand on va pas mourir…

– Qu'est-ce que tu racontes ? On va pas mourir. On meurt pas comme ça…

– Ça me dérange pas…

– Mais enfin, arrête… Il n'est pas question qu'on meure… Pourquoi tu voudrais qu'on meure, enfin ? dit Pam.

– Non, mais c'est pas triste ! dit Mathieu doucement. On doit être bien quand on meurt, parce qu'on rêve… Non ?

– J'en sais rien, mon chéri… J'ai jamais essayé. »

Mathieu sourit, sans regarder sa mère, il reste blotti contre elle, bien au chaud.

Pam somnole.

« C'est pas grave… continue le petit.

– Quoi ?

– De mourir. On dort, c'est tout.

– Arrête, s'il te plaît.

– On est plus gentil. On fait des cabanes…

– Les cabanes, on peut aussi les faire quand on est vivant.

– Pas forcément…

– Tête de mule ! »

Pam regarde son fils.

« Nous, on va pas mourir, dit-elle.

– Parce que papa il a mille sexes ! dit Mathieu en riant comme un petit sadique.

– Pardon ?

– C'est même toi qui lui as dit… quand tu lui as écrit des lettres d'amour. »

Mathieu rit comme un petit ouistiti, surexcité à l'idée d'avoir osé dire ça à sa mère. Pam ne peut pas s'empêcher de craquer et son masque de mère indignée tombe devant l'absurdité de la conversation. Tous les trois se laissent aller à leur fou rire.

« Il y a des choses qu'on dit, qu'on écrit quand on est amoureux, qui sont folles et incompréhensibles pour d'autres… Pour ceux qui sont extérieurs à cette intimité. Tu comprends ? dit Pam apaisée à son fils, qui l'écoute attentivement. Tu verras quand tu seras plus grand…

– Moi, j'ai une fiancée à l'école et on va se marier. Et j'aurai mille sexes avec elle… »

Pam, fatiguée soudain, sourit à son fils et ferme les yeux. Serrés les uns contre les autres, Vanessa, son petit frère et leur mère se laissent emmener par le sommeil, qui devient l'activité principale. Vanessa sourit, les yeux fermés. La maman se réveille soudain, sortie de son apaisement passager par un cauchemar. Elle regarde autour d'elle et fixe longtemps le feu mourant. Un effroi passe dans son âme. Elle se lève et, se guidant seule en aveugle, elle pénètre dans le garage, et enjambe les cartons et diverses affaires explosées qui gisent là. Arrivée tout au fond de la pièce, elle déplace de ses forces restantes un paravent en osier qui révèle un meuble recouvert de boîtes, de tissus enfouis sous des étagères et autres amas d'objets stockés là, oubliés. Tout tombe à terre, et seul un dernier morceau d'étoffe protège le meuble mystérieux. Pam le tire avec délicatesse et découvre un piano blanc dont la laque encore intacte irradie dans le noir de la pièce.

Elle s'assied sur un carton qui traîne là et pose ses mains gelées sur les touches. Ses doigts timides semblent impressionnés par le nouveau paysage oublié depuis longtemps. Certaines notes sonnent faux, mais cette fausseté n'a pas d'écho. Seule existe soudain la pureté des sons qui s'échappent de l'instrument, faiblement, comme si les doigts tardaient à reconnaître l'objet et tâtonnaient pour retrouver la mémoire. Puis les cordes chantent, résonnent, d'abord effleurées puis plus appuyées, elles accélèrent leur mouvement, les doigts sautent, se délient et la musique se révèle, majestueuse, mélancolique et triomphante, douce et violente. Pam joue, prise par la passion de ses mains qu'elle ne maîtrise plus. Puis elle s'arrête et fredonne, à peine audible.

On s'aimera
Pour un quignon de soleil
Qui s'étire pareil
Au feu d'un feu de bois
On s'aimera
La la la
La la la
Par les ciseaux gelés
On s'aimera
Pour ces bourgeons d'amour
Qui allongent aux beaux jours
Les bras de la forêt
Les bras de la forêt

La femme chante et libère dans les mots tous ses souvenirs, qui semblent attendre de l'autre côté de la porte.

On s'aimera
Pour une vague bleue
Qui fait tout ce qu'on veut
Qui marche sur le dos
On s'aimera
Pour le sel et le pré
De la plage râpée
Où dorment des corbeaux
Où dorment des corbeaux

Pam suspend le mouvement de ses mains, interrompt son chant timide. Elle regarde les touches du piano et les caresse. Des larmes tombent sur l'ivoire, et la femme, perdue dans ces vagues lueurs du passé, semble percevoir leur écho musical, triste mais toujours vivant. Elle se lève, laisse le piano bouche ouverte, pour aller voir si ses enfants vont bien. Partagée entre la chair de sa chair et l'âme de son passé, elle revient se blottir entre ses deux petits et s'endort en fredonnant, les serrant dans ses bras. Un espace de temps indéfinissable berce le trio assoupi.

Mathieu s'éveille souvent et se force à retourner dans le sommeil, encouragé par la chaleur de sa mère et de sa sœur. Il noie ses yeux fatigués dans le feu éteint. Se sentant le gardien des deux femmes, il a du mal à s'abandonner au repos et n'arrive pas à s'apaiser. Il se lève de son nid douillet, doucement, sans les réveiller, en glissant son petit corps vers le bas, de façon à laisser Pam et Vanessa l'une contre l'autre. Il veille à ce que ses voisines aient les yeux bien scellés, et va se promener dans la maison. Il descend l'escalier sans aucune lumière. Ses yeux sont maintenant tout à fait habitués au noir, qui semble moins opaque. Arrivé dans sa caverne, il sent l'air froid qui s'échappe de la fine bouche d'aération, grâce à laquelle ils peuvent encore respirer. Le petit tunnel entamé avec son père et son frère lui donne envie de continuer à creuser encore plus loin. Il récupère une pioche et se met à plat ventre pour forer.

« Hououououohouououou ! » crie-t-il, amusé du son qu'il émet, mourant au loin.

Il continue à appeler et chante la chanson de Mirette. Sa voix résonne, il trouve ça joli et recommence à l'infini. Les pieds refroidis par le vent glacé qui s'échappe de la petite ouverture, il s'assied pour comprendre d'où vient l'air. Il doit y avoir une aération permanente dans les caves de la maison, mais d'où vient-elle ? Allongé sur le ventre, il fait des petits dessins sur la terre, comme un homme préhistorique, et agrandit l'ouverture. Il gratte et gratte encore avec sa pioche. Fatigué, il s'allonge, le visage tourné vers le trou noir et frais. Il crie encore, recommence sans fin. Puis il chante n'importe quoi pour trouver le réconfort du son de sa voix.

En rêvassant devant le petit boyau déjà bien entamé dans lequel il peut maintenant passer son corps, il dégage inlassablement le fin passage avec sa pioche, comme son père le faisait. Tout excité par la transformation qu'il a provoquée, il continue et va plus loin.

« Ouhouou !... Aaaaaahaaaaa ! »

Il joue au guerrier, attaque les côtés qui s'élargissent, s'enfonce dans la terre, chante, peut maintenant avancer en rampant.

Ndënd bi ñu yett, ndënd bi ñu fodd Muy riir ci baaraami mbër mi Sa riiru baat... On s'aimera pour un.... On s'aimera... La la la la la la... Dans les bras de la forêt...

Puis il ressort du boyau et s'endort, le visage et le corps noircis, dans sa petite cachette. Le museau chatouillé par l'air glacé, il ouvre les yeux et va vérifier si les femmes se portent bien dans le campement. L'immobilité règne et veille sur Pam et Vanessa, plongées dans un profond sommeil. La lampe électrique fend la nuit comme elle peut, de son faisceau dont la puissance faiblit lentement.

Mathieu regarde les endormies. Il n'a aucune idée du temps ni de l'heure, mais il sent le froid. Il court dans la pièce, autour d'elles, sautille pour se réchauffer et tenter de produire de la chaleur et redevenir une chaudière humaine. Puis il retourne dans la caverne, en bas, pour creuser, armé d'une truelle et d'une pelle.

Son petit corps est un peu trop gros pour pouvoir s'engager plus loin dans le mini-tunnel, avec les couches de pulls et la doudoune, alors il retire une épaisseur et fore, encore et encore. Il peut se faufiler loin dans le boyau de terre et, encouragé par son avancée, il poursuit son aventure, mais s'endort de plus en plus souvent, engourdi par le froid et le manque d'air environnant. Il se réveille alors et continue de creuser sans se retourner. Soudain pris de remords et d'angoisse, il décide d'aller vérifier encore une fois si sa mère et sa sœur dorment tranquillement, mais il ne peut plus reculer, son corps trop épais reste bloqué, le forçant à avancer devant lui.

« Vanessa… Maman… » balbutie Mathieu dans un demi-sommeil.

Soudain, il entend une voix au loin. C'est Mirette, il en est sûr, il la reconnaît. Ces intonations, ce grain de velours ne l'ont jamais quitté. Il est aveuglé par un filet de lumière blanche comme il n'en a jamais vu. Il s'amuse avec cette flèche incandescente. Il se caresse le visage avec, s'éblouit. Il faut aller encore plus loin, toujours plus loin. Il perçoit un grondement là-bas, au fond, quelque part. Ses yeux se ferment d'épuisement, ils ne peuvent plus lutter. Le petit homme résiste malgré tout et creuse en fermant les yeux, mais son corps, qu'il sent de plus en plus lourd, s'endort doucement.

« Mathieu ! Mathieu !... Continue... Ne dors pas... Avance ! »

C'est la voix claire de Mirette qui se rapproche par intermittence, réveillant le petit explorateur qui recommence son travail de bâtisseur de tunnel.

« Y a quelqu'un ?... C'est toi, Mirette ? crie-t-il de toutes ses cordes vocales.

– Avance encore ! lui répond-elle, douce et chaleureuse, je suis là ! »

Au fur et à mesure qu'il s'enfonce, Mathieu aperçoit une forme, une sorte d'ombre, dans la lumière translucide, des bruits forts assaillent le silence. Mais il n'arrive pas à identifier distinctement un son ou un autre. Ses oreilles bourdonnent. Pris de panique, il ouvre grand les paupières et voit la main tendue de son ange protecteur. Il voudrait aller crier tout ça à sa famille, mais il ne peut pas, tout pourrait s'écrouler, et son corps ne peut que continuer à avancer.

Mathieu a du mal à contrôler sa respiration, devenue irrégulière. Tout s'embrouille dans sa tête, il voudrait ses parents, sa sœur, son frère près de lui. Il pense à Vanessa et à sa maman, qui dorment dans le froid depuis il ne sait plus quand devant la cheminée sans feu, à Sam et à son père, qui sont dehors dans la glace, et il se sent oppressé par la chaleur qui monte comme une chaudière qui s'emballe ou un bain brûlant qui fait mal au cœur. Enseveli par des vapeurs qui l'envahissent sous sa chair, les yeux lourds, il veut attraper la main, là, tout près. Ses paupières s'affaissent, il ne voit plus rien, mais continue d'avancer en cassant la terre devant lui, à droite et à gauche, et en hurlant :

« Mirette ! Mirette ! Attrape-moi, s'il te plaît ! Viens dans le tunnel ! »

Épuisé, Mathieu s'évanouit.

L'oiseau

L'oiseau fend l'air ensoleillé du printemps. Il rase les bords de l'abîme rocheux en criant, frôlant de ses ailes aventurières une falaise pour recueillir les violents ébats de la mer déchaînée sous un ciel bleu azur, imperturbable.

Il remarque un groupe d'humains qui marchent au bord du gouffre de granit rosé. L'animal majestueux voltige autour d'eux, intrigué par la façon légère dont ils se déplacent, comme s'ils flottaient. Il plane plus près de l'un d'eux. Il reconnaît une femelle et ses cheveux couleur or et argent lui rappellent la gueule d'une lionne.

Elle tient dans sa main celle d'un petit enfant aux cheveux bruns, qui lui sourit. À côté d'eux, il y a un mâle, identifiable à sa barbe noire, du même poil que celui du petit. Il doit être le père. À la gauche du mâle, marche une autre femelle aux cheveux or, lisses, qui ondulent dans le vent et lui font penser aux cerfs-volants sur les plages en été. À côté d'elle, fermant le troupeau, un autre mâle, dont la ressemblance avec le père est frappante. Ses poils sont bruns et sa barbe plus fine mais foncée dessine avec perfection les contours de son visage lumineux.

Leurs bouches sont recourbées vers le haut, comme des croissants de lune. Ils semblent être fondus dans la nature, les arbres, les plantes, la roche et les rayons du soleil. Le protecteur volant les suit jusqu'à la fin du jour, attiré par leur rayonnement. Ils scintillent comme des lucioles humaines.

Parfois, les marcheurs font une pause la nuit et se regroupent autour d'un feu. Timidement, l'intrus volant s'approche. Les humains l'accueillent et le plus petit homme au crin foncé lui tend la main. L'oiseau va vers lui et l'enfant le soulève pour le déposer sur son épaule. L'animal frémit sous les caresses de la paume et reste blotti près du groupe, doré par le feu.

Au petit matin, le troupeau de voyageurs repart et l'animal blanc les suit. Il voudrait prêter ses ailes aux marcheurs, il les emmènerait plus loin.

Après une longue traversée de déserts, de journées et de nuits, guidée par le petit homme sur qui, de temps à autre, l'oiseau vient se poser, la famille découvre, au détour d'un chemin enfoncé dans une forêt sauvage, une ruine de pierres dont les murs sont transpercés de branches et de racines d'arbres, de végétaux de toutes sortes, qui les rendent surréalistes. Les trous du toit déchiré sont comblés par des bras de feuilles qui abritent cet endroit invraisemblable, accueillant comme un nid qui attend qu'on l'occupe. La demeure abandonnée semble poussée de la terre, au bord d'un petit ruisseau, dans une clairière où trône un chêne qui apparaît comme le roi de toute cette végétation.

Le groupe se pose naturellement dans l'abri exceptionnel et arrange la ruine chaque jour qui passe, y vit, sans en repartir. L'oiseau ne quitte plus ses compagnons que pour aller se nourrir dans la mer, leur rapporter des poissons, et revient toujours sur l'épaule du petit homme.

Un matin, rentré de sa pêche comme chaque jour, l'oiseau ne retrouve plus personne. Inquiet, il parcourt chaque recoin de la maison végétale, en scrute les alentours, cherche de ses yeux et de son bec, mais reste bredouille.

Se sentant abandonné, il se pose sur le grand chêne et attend.

Rien ne se manifeste, aucun mouvement, aucun bruit, tout paraît déserté. L'oiseau triste regarde la nuit tomber.

Alors que le tulle sombre enveloppe totalement les courbes et les couleurs du paysage, il distingue des formes étranges.

Un léger vent fait onduler la nature et il devine, dans le mouvement d'une plante sauvage, le corps de la jeune femelle aux cheveux d'or, comme fondu dans le vert de plusieurs tiges de lierre. Il croit rêver, puis, parcourant de ses yeux les planches de la ruine, étalées en vrac, il y découvre le visage et les mains du jeune mâle, gravés dans le bois. Il s'y pose et observe de près, les yeux écarquillés, chaque membre du corps de l'humain, incrusté dans les stries de la matière. Il s'envole, pensant à un sort maléfique, et, pris de peur, il va près du feu pour se réconforter. Mais dans le brasier, il reconnaît le petit mâle qui danse.

L'oiseau épouvanté pousse un cri immédiatement apaisé par un grand sourire de l'enfant heureux, ondulant dans les flammes, faisant corps avec elles. L'oiseau s'approche du foyer, ne comprenant pas, et, trop proche de la chaleur, s'envole plus loin.

Il se cogne au chêne.

Assommé sur l'herbe fraîche, il se remet de ses émotions, reprend son souffle et se redresse. Il rit de lui-même, de ses visions fantasques, et décide de se reposer au pied de l'arbre protecteur, après cette journée d'attente.

Se laissant happer par le sommeil, les yeux presque clos, il remarque que le tronc centenaire auprès duquel il somnole bouge imperceptiblement, comme s'il respirait. Il fronce ses yeux d'oiseau et s'approche très lentement cette fois, pour ne pas interrompre sa vision. Les corps de la femelle aux cheveux hirsutes doré argent et du grand mâle brun sont imbriqués l'un dans l'autre dans le tronc du chêne, et forment une deuxième écorce autour du vieil arbre qui respire, en pulsations lentes, vivantes, comme la chair d'un éléphant.

Ébloui, chargé d'une énergie féroce, il tournoie autour de la famille incrustée dans les éléments, en battant des ailes et en criant.

« Mathieu… il faut aller à l'école, dit Mirette d'une voix douce, réveillant l'enfant avec tendresse.

– J'ai fait un rêve… dit-il encore tout endormi.

– Ah ?

– … Y avait un oiseau… qui nous suivait… Maman, papa, Sam et Vanessa… on était ensemble… tous… et on avançait…

– C'est ton rêve, qui revient toujours…

– Oui… tout le monde allait bien…

– C'est qu'ils sont heureux, là où ils sont… Viens, on va être en retard à l'école.

– Ils vont se réveiller… Je le sais.

– Si tu les as vus, c'est qu'ils pensent à toi… donc oui, ils vont se réveiller… Il faut être patient.

– Et l'oiseau est avec eux…

– L'oiseau, c'est toi. »

Mathieu sourit et embrasse Mirette.

« Bon, je file à la salle de bains, tu te prépares ? dit-elle.

– Oui ! » dit Mathieu, ragaillardi.

Habillé comme l'éclair, il sort de sa petite chambre où sont agglutinés deux lits superposés et un matelas à terre, et se dirige vers une porte close.

Il l'ouvre précautionneusement et y pénètre comme dans un lieu sacré. Il fait sombre, seule une petite veilleuse pour bébé donne une douceur rosée inhabituelle à la pièce dans laquelle Pam dort à côté de Vanessa, sur un matelas de camping deux places. Mathieu leur fait un baiser sur le front. Il frictionne leurs corps immobiles ensevelis sous des couvertures.

À côté d'elles, J.-P.est allongé sur le dos, les yeux fermés, dans un lit étroit. Son visage et ses bras sont reliés à un ballet de tuyaux divers qui se croisent et s'entremêlent. Mathieu prend sa main et la serre.

« Salut papa, mam, Vaness, chuchote-t-il, je vais à l'école maintenant, je vous laisse tous les trois... Papa, tu prends bien soin d'elles, OK ? Tu les gardes... Je vais bien travailler et je vous raconterai ma journée tout à l'heure. Pas de bêtises, hein ? » dit Mathieu aux endormis, en souriant de sa blague.

Puis il allume une vieille platine et déclenche un disque. « On s'aimera » envahit la petite pièce. Il jette un regard à sa famille muette et inerte, et sort de la chambre.

Il pénètre dans une petite cuisine où trône une étroite table en formica bleue comme le ciel et y dépose cinq bols orange et des cuillères pour le petit déjeuner. Un léger bruissement qu'il croit reconnaître sans vraiment l'identifier lui fait lever les yeux vers le ciel, au-dehors, et il voit, comme une hallucination, le grand oiseau de son rêve qui le regarde, perché sur le rebord de la fenêtre. Il reste immobile, paralysé par sa vision, croyant qu'il n'est pas bien réveillé. L'oiseau pousse des petits cris. Mathieu s'en approche, le caresse et lui donne des miettes du pain posé sur la table. L'animal picore, sans s'effaroucher.

« Il ne faut pas traîner sinon on va être en retard ! dit Mirette entrant dans la pièce, interrompue par la présence de l'oiseau.

– Salut tout le monde ! Ouhaouh ! s'exclame Samuel en apercevant le grand animal blanc dont les plumes paraissent incandescentes dans la claire lumière matinale.

– Salut Sam... Regardez ! Mirette ! Il est là... » dit Mathieu, hypnotisé par son ami aux ailes d'ange.

Mirette fixe l'animal.

« Il me rappelle quelque chose... dit-elle.

– Il est déjà venu ici ? demande Mathieu.

– Non... Un animal blanc comme les flocons de neige a picoré sur ma tête quand j'étais prise dans la tempête le soir où je suis partie de chez vous... et il m'a réveillée... et m'a aidée à continuer... »

Deux petits garçons déboulent dans la cuisine et embrassent Mirette.

« Bonjour mam !

– Salut mes chéris ! Sam, tu leur verses le chocolat s'il te plaît ? »

Les deux petits attrapent leurs tasses et s'approchent de l'oiseau, fascinés par sa beauté.

« On y va ! » lance Mirette, et juste avant de quitter la pièce, elle chantonne son air favori, celui qui avait attiré l'animal il y a quelques mois, alors qu'elle était seule face au ciel déchaîné. L'oiseau, comme pour lui répondre, pousse un petit cri.

« C'est lui, dit-elle, souriant et regardant Mathieu, Sam et ses deux enfants. C'est lui qui m'a sauvée. »

Le petit groupe sort de l'appartement, guidé par Mirette. Mathieu attrape son cartable et file dans la cuisine. Il se campe devant l'oiseau en lui criant : « À ce soir ! », puis rejoint les autres.

Dans l'escalier, il se ravise, demande les clés de la porte d'entrée à Mirette et retourne à pas de loup dans la chambre de ses parents et de sa sœur. Il remet la chanson de Léo et ouvre la fenêtre, appelant l'oiseau qui s'approche naturellement. Mathieu chuchote quelque chose à son oreille et repart en courant.

L'oiseau ne bouge pas et observe le groupe jaillir de l'immeuble. Un doux filet de la voix de Léo Ferré s'échappe de la chambre.

Mathieu ne quitte pas son nouvel ami des yeux, traînant derrière la petite équipe.

« Viens ! » lui lance Mirette en tendant la main.

Mathieu marche à reculons vers son ange protecteur, en fixant l'animal à la fenêtre qui émet un piaillement joyeux en battant des ailes, comme pour rassurer le petit homme, et disparaît vers l'intérieur de la pièce. Mathieu sourit et attrape la main de Mirette.

« Il va les réveiller », dit-il plein de certitude.

Mirette le regarde.

« L'oiseau ?

– Oui », répond Mathieu.

La nouvelle famille s'éloigne vers l'école alors que les trois corps de J.-P., Gisèle et Vanessa, envoûtés par la musique, les mots et la voix de Léo, sont délicatement picorés par l'animal. On dirait des anges en lévitation sur lesquels se pose à tour de rôle, comme une danse, le majestueux oiseau qui un jour les réveillera.

Je tiens à remercier chaleureusement la famille de Léo Ferré de m'avoir si gentiment permis de donner à mon roman le même titre que la très belle chanson de Léo. Je vous conseille d'ailleurs de l'écouter lorsqu'elle est évoquée dans mon livre... En même temps que vous lirez.

Enfin, je remercie mes parents, Martine et André Celarié, Laurent Grégoire, Emmanuelle Okbi, Nazanine Marachi-Dubernat, Laurent Lemarchand, Nathalie Letrosne-Wormser, Janine Letrosne, Chazelles en Charente, et la presqu'île de Crozon pour leur soutien pendant ma longue aventure d'écriture.

Table

Matin 11

Deuxième matin 33
La caverne secrète 43
Air 48
Le roi de la savane 51
Ensemble 57
Amis virtuels 61

Troisième matin 69
Mirette 77
Zygomatiques 81
Goliath 88
Abandon 93
Igloo 99
Crise 107
Mon ordi 113

Quatrième matin 127
Gisèle 134
Débâcle 148

Cinquième matin 163
Léo 170
Teuf 185
Maman 193
Danse 197

Sixième matin 203
Le bois 212
Les mains 218
Bleu 224
Cabane 236

Septième matin 251
Souffle 262

Un autre jour 265
Percée 278
Dedans 280
Dehors 282
Dedans 285

L'oiseau 295